たちも
な
子どもだった

～戦争が日常だった私たちの体験記～

和久井香菜子・著　吉永憲史・解説

HAGAZUSSA BOOKS

はじめに

～「常識」とはなんなのか？

　私は子どものころから、年配の方から戦争体験を聞くのが好きでした。『はだしのゲン』（中《なか》沢《ざわ》啓治《けいじ》）、『かわいそうなぞう』（土家由岐雄《つちやゆきお》）、『火垂《ほた》るの墓』（野坂昭如《のさかあきゆき》）、などの作品から見える、曇り空の世界。すでに豊かになっていた日本からは想像もつかない話が、不思議でならなかったのだと思います。明治生まれの祖父に「戦争のお話を聞かせて」とよく、せがんだものです。

　大人になり、あるとき仕事で特攻隊《とっこうたい》について調べる機会がありました。そうしたら、自分の知っている戦争の話と違ったんです。私が知っていたのは、空襲や貧しさ、好きなことも言えない窮屈さといった内容ばかりでした。戦争は、降りかかってくる災難にみんながただ耐える話ばかりだと思っていたのです。

　参考にするためにと買った特攻隊の本にも感動しました。今思えばかなり美化された内容だ

Prologue

はじめに

～「常識」とはなんなのか？

ったかもしれません。しかし、幼いきょうだいを襲う敵機を1機でも撃ち落としたい、といった強い意志を持っていたり、気恥ずかしさから冷たく当たっていた養母に対する謝罪の遺書だったり、ひとりひとりのエピソードがものすごく生き生きと感じられたのです。

そんなころ、日本テニス協会の会長をされていた盛田正明《もりたまさあき》さんのもとに取材に行きました。プロ選手として活躍する錦織圭《にしこりけい》選手などのお話を聞いたあと、盛田さんに「終戦時においくつでしたか？」とうかがいました。すると、「僕は特攻隊の生き残りなんです」とおっしゃったのです。「生まれたときから日本はずっと戦争をしていて、自分も戦争で死ぬと思っていた」と。盛田さんは、それが〝当たり前〟だと思っていたというのです。こんなにも人の持つ〝常識〟は異なるのだと知りました。

今、日本で「戦争で死ぬかもしれない」と考える子どもはいるでしょうか。今、私たちの感覚で、戦争中の出来事を安易《あんい》に非難していいのでしょうか。もっと当時の人たちの〝当たり前〟が知りたい。どんな気持ちで、どう生きていたかを知りたいと思うようになりました。そうして本格的に、さまざまな方に戦争の体験を教えていただくようになったのです。

＊
＊
＊

「お国のために自分はあるんだ」

和久井香菜子（以下、**和久井**）この本を書きたいと思ったのは、盛田さんがきっかけでした。「自分は人生を全うすると思っていなかった」とおっしゃっていたのが衝撃《しょうげき》で。

盛田正明（以下、**盛田**）１９３１年、私が４歳のときに満州《まんしゅう》事変《じへん》が始まりました。小学校４年生くらいのときには、盧溝橋《ろこうきょう》事件（１９３７年に中国・北京近くの盧溝橋で起きた、日本軍と中国の国民党軍との衝突事件）を発端とした日中戦争が始まり、１９４１年、中学の２年生くらいのときに、大東亜戦争（太平洋戦争）が勃発《ぼっぱつ》しました。生まれたころから周りは戦争戦争で、「あそこのおじさんが戦争に行って負傷して帰ってきた」とか「どこのだれだかは偉い功績《こうせき》を立てた」とか、近所でも戦争の話しか聞きませんでした。学校の教科書自体が「日清戦争で勝った」「東郷平八郎元帥《とうごうへいはちろうげんすい》」「乃木希典大将《のぎまれすけたいしょう》」「広瀬武夫中佐《ひろせたけおちゅうさ》が沈みゆく船の中で、部下を救うために最後まで頑張った」とか、みんな、そういう戦争の話ばかりしていたんです。

和久井　そもそも学校で近現代史をあまり習わないので、その方たちのこともしっかり勉強した記憶はないです。戦争関連の話で聞いたのは空襲や原爆の被害といった辛い話ばかりです。

盛田　自分を捨てても国を守る、「お国のために」が教育における一番のテーマというか、根本精神でしたから、今の人とは大きく違いますよね。子どものころから「お国のために自分はあるんだ」というような精神訓練を徹底的に受けました。将来の夢は「海軍大将」「陸軍大将」。憧れがそういう人たちですから、「あの海軍大将のように、お国のために自分も役に立ちたい！」という気持ちが、当然のようにあったと思います。

和久井　子どものころ、日本の国のために何かしようなんて、考えたことがなかったかもしれません……。

盛田　日露戦争中の１９０５年に、日本海軍の連合艦隊がロシア海軍のバルチック艦隊を破ったことで、「軍艦を造れば島国である日本を守れるんだ」と、日本は戦艦大和《やまと》や武蔵《むさし》の建造に力を入れるようになりました。ところがその後、どんどん飛行機の時代になってきちゃってね。私は実家が名古屋で、近くに陸軍の航空隊がたくさんありました。それで、子どものころには、飛行機がブンブン飛びまわるようになったんです。近くの三菱航空機ではゼロ戦も作っていましたし、飛行機の街みたいな場所で育ったもんだから、毎日、学校から帰ると家の屋根に上って空を眺めて、「俺も早く飛行機乗りたいなあ」って思っていました。入道雲《にゅうどうぐも》の中から、飛行機がびゅーんと出てくる。あれくらいおもしろいことはないなあと思ってね。「最先端は飛行機だ」と思っていたので、最初はパイロットに憧れ、そのうち「日本が勝つためには船ではなく飛行機を作らないといけないんだ」と考えるようになり、「世界で一番強い飛行機を作りたい。その設計技師になりたい」と夢見るようになりました。設計だけじゃおもしろくないから、自分が作った飛行機のテストパイロットを自分でするような、そういう飛行機技師になりたい。それが私の夢だったんですよ。

和久井　先日、旧熊谷《くまがや》陸軍飛行学校桶川《おけがわ》分教場に行ったんです。パラパラと音を立ててグライダーが飛んできては、近くのホンダエアポートに吸い込まれるように着陸していきました。ジェット機などとは違い、人が乗って操縦しているアナログ感があって、「これは子どもは憧れるだろうな」と思いました。

飛行機に乗って空で死にたい

和久井　盛田さんは、ソニー生命の名誉会長を退かれたあとに日本テニス協会会長に就任されましたよね。「公益財団法人盛田正明テニスファンド」（２００３年）を設立されるなど、テニスのイメージが強いのですが、戦争当時は、何かスポーツをされていたのですか？

盛田　中学ではバレーボールの選手でした。だけど中学に入学したころには戦争が激しくなっていて、ついにB-25っていう飛行機が東京や名古屋にまで飛んできて、爆撃されるようになっていたんです。それでアメリカやイギリスのものはやっちゃいかん、外国のスポーツもやっちゃいかん、バレーボールもバスケットボールも野球もそんなものは全部やっちゃいかん、と学校で禁止になったんです。

その代わりに、グライダー部っていうのができた。私は空を飛びたかったから、すぐにグライダー部に入って、16歳でグライダーに乗るようになったんです（当時の旧制中学は12～16歳までが通う、5年制）。それが初めての飛行体験。飛んだっていったって、高さ20mぐらいですけどね。

和久井　当時は、進学よりも空を飛びたいという気持ちのほうが強かったのですか？

盛田　もう大学に行って勉強する余裕はないなと、私には思えていたんです。それまでは飛行機の技師になりたいと思っていたけど、もう間に合わない。周りには戦死した人がいっぱいいましたしね。何がなんでもまずは戦わなきゃダメだと真剣に思っていたんです。戦争に行ったらどっちみちいつかは死ぬんだろう。3年先か5年先かわからんけど、戦争に行けばほとんどの人は死ぬ。じゃあ自分はどうやって死にたいか、と考えたんです。私は死ぬとき陸軍で鉄砲を担いで死にたくない。海軍に行って、船に乗って溺《おぼ》れて死にたくない。やっぱり俺は空だ、と思ったんです。

だんだん戦況が厳しくなってきたときに、中学に海軍の将校が来て、「甲種飛行予科練習生《こうしゅひこうよかれんしゅうせい》（予科練）になりたい奴は集まれ」と、言ったんですね。私はいろいろ考えて、もう大学に行く時間はない、パイロットになって国を守らねばと思って志願したんです。お袋からはものすごく反対されたけどね。

和久井　お母さまが反対されたのは、なぜですか？

盛田　どうせ行くなら、江田島《えたじま》にある海軍兵学校《へいがっこう》にしろ、と。将来、海軍大将になるなら海軍兵学校に行っておかないといけないから。戦争に行くなら、やっぱり偉くなってほしかったんでしょう。予科練の隊員なんていう、単なる飛行機乗りになるなら反対だと。お袋はたとえ自分の息子が戦争に行くといっても、やっぱり将来のことを考えてるんですよ。だけど「そんな将来なんかもうないよ。下手したら日本が潰《つぶ》れちゃう、やられちゃうよ。だから体張って日本を守らなきゃいけない」と、私は思っていたんです。そうやってお袋の反対を押し切りました。

和久井　以前、「国を守るために迷いなく志願した」というお話を聞いて、ものすごく驚きました。

盛田　みんなそのころのことを悲惨《ひさん》だ悲惨だっていいますけど、当時は、悲惨とは思わなかったんですよ。希望がはっきりしていましたからね。今の子どもたちに、「将来何になりたい?」と聞くと、「さあ……?」なんていう子も多いでしょう? それに比べると、私にははっきりとした目標があった。精神的には極めて安定していて、「夢に向かってまっしぐら」って感じだったんですよ。軍国少年だったんです。

和久井　特攻隊の方々の遺書を読むと、この戦争は負ける、でも自分が突っ込むことで幼いきょうだいを襲う飛行機が1機でも減ったらそれでいい、というようなことが書かれています。盛田さんには、自分がなんとかしたら戦局が変わるかもしれない、という思いはあったのですか?

盛田　変わるか変わらないかはわからないけれど、我々が守らなきゃ、ほかに守る人がいないんだから。日本を守る、家族を守ることが一番大事だった。我が身を捨ててでも守りたいと思ってましたよ。

和久井　先日、茨城県にある予科練平和記念館へ行ったんです。そこには、戦争末期に将校が各地の学生たちを勧誘《かんゆう》に行ったという記録がありました。

盛田　まさに、その将校がうちの学校にも来たんだろうね。そして「みな来てくれ！」って檄《げき》を飛ばされて、「そりゃそうだ、よし行ってやろう！」って奮《ふる》い立たされた。中学5年生、16歳のときです。最初は奈良航空隊へ行きました。丹波市町《たんばいちちょう》（現・天理市《てんりし》）に天理教という宗教団体の大きな宿舎があるんですが、そこを海軍が借り切って、予科練の隊員が猛訓練を受けたんです。朝、ラッパが鳴ると起きて、食事をして、それから勉強も体操も銃剣道もありました。でも最初は、実際に飛行機に乗る訓練は全然なかったんですよ。体づくりと勉強です。

とにかくなんでもチームでやらされます。敵陣を攻めるときは編隊飛行、つまりチームで戦うからです。1年半ぐらい猛訓練しましたかね。回る椅子に乗せられてグルグル回されて、パッと止められた瞬間にまっすぐ歩かなきゃいけない。そのときに目が回ってフラフラしてしまったら、パイロットとしてアウトなんです。パイロットに向いているかどうかのテストですからね。私はグルグルと回されても、線の上をまっすぐ平気で歩いていました。それから目の検査だとかいろんな検査があって、私は１９４４年、17歳の時に、無事にパイロットとして合格したんです。

予科練修生時代の盛田さん。休暇で実家へ帰った時の写真。「これが我が家最後と思った。両親は僕が戦死したらこの写真を使うつもりだったのでしょう」（盛田さん提供）

合格してしばらくして、予科練を卒業し、パイロットの練習生はパイロットの訓練に、偵察《ていさつ》員の練習は偵察の訓練に変わりました。宮崎県にね、ちっちゃい海軍の飛行場があって、神風《かみかぜ》特別攻撃隊、神雷部隊《しんらいぶたい》（人間ロケット「桜花《おうか》」の部隊）がいたんです。その横で、我々は練習機の訓練をしていました。そこで初めて、本格的に飛行機に乗ったんです。同じ飛行場の神雷部隊が出撃して、何機かは帰ってこないのを見て、やがて自分もそうなると実感しました。

「もう飛行機に乗れないかもしれないな」

和久井　それから広島（1945年8月6日）、長崎（同9日）に原子爆弾が投下されて、8月15日に終戦を迎えました。盛田さんは、玉音放送をどこで聴いたのですか？

盛田　福島県の郡山《こおりやま》で聴きました。最初に宮崎県の富高《とみだか》海軍航空隊に行ってその次に山口県の岩国《いわくに》航空隊、そして茨城県の霞ヶ浦《かすみがうら》航空隊と異動して、最後に郡山航空隊に行ったんですよ。だんだん北のほうに上がっていったんです。

「玉音放送がある」と聞いたのは、突然のことでしたね。あのころ天皇陛下っていうのは、神様の一歩手前の存在で、人間ではないと思っていましたから、その声なんて、誰も聞いたことないわけですよ。その人が、ラジオで何か言うっていうのはあの当時としては大変なことでね。「へえ」ってみんな集まって、うやうやしく聴いたんだけれども、ラジオの電波もよくないもんだから、聴き終わっても「おい今なんだった?何言ったんだ? あれは」というのが正直なところ。そしたら誰かが、「戦争が終わったらしいぞ」って言うから、「おお、そうか」ってなもんですよね。玉音放送を聴いて理解して、涙して土下座して泣くなんてことは、全然なかったですよ。

和久井　多くの方は、玉音放送は「何やらわからなかった」とおっしゃいます。内容ははっきりしなかったとはいえ、聴いたとき、どう思われましたか?

盛田　よく覚えてないですけど、特に大きな感情の変化はなかったですね。「どうなってるんだ?」という気持ちと、戦争が終わったと聞いてからは「もう飛行機に乗れないかもしれないな」という気持ちが強かった。当時は、アメリカ軍が上陸してきたら何をされるかわかりませんでしたから……特にパイロットだと知られたら、殺されるかもしれない。だから飛行帽とか飛行服といったパイロットらしいものはみんな捨てていけと言われました。

和久井　郡山からご自宅のある愛知県に戻られたんですか?

盛田　それがね……名古屋がものすごい空襲に遭《あ》いましたでしょ?

和久井　市街地を標的にした大規模なものとしては、１９４５年３月12日を皮切りに、19日、５月14日と何度もあったんですね。

盛田　だけどうちの周囲１００メートルくらいだけは、見事に残っていたんです。うちは４人きょう

出征直前に撮ったきょうだいの写真。「これがきょうだいの最後の写真と思った」と盛田さん。盛田さんは左から2人目（盛田さん提供）

だいで、1番上の兄貴《あにき》は大阪大学を出て海軍の技術将校、姉はまだ家にいて、2番目の兄貴も早稲田《わせだ》から学徒動員《がくとどう》で予備学生になり、パイロットとして艦上爆撃機《かんじょうばくげき》に乗っていたんです。（2番目の）兄貴こそ、もうちょっと戦争をやってたら死んでいたかもしれないですよね。男が3人いて、3人とも海軍だったんですよ。両親はおそらく、下の2人は特攻隊で生きて帰るのは難しいだろうと諦めていたと思うのですが、3人とも、生きて帰ってきた。

和久井　焼け残ったご自宅には戻られなかったんですか？

盛田家の写真。盛田さんは後列左。3人が終戦で家に帰った直後のもの（盛田さん提供）

盛田　いないことは、わかってましたからね。うちは愛知県の小鈴谷《こすがや》村（現・常滑《とこなめ》市）という田舎《いなか》に実家があって、先祖代々酒造業《しゅぞうぎょう》をやってて、酒やみそ、醤油を造ってたんです。今でもそこに工場があります。だからまっすぐ、そこへ帰ったんです。そうしたら兄貴たちも次々戻ってきた。それからお袋が「学校へ行け」と言ってツテを見つけてきてね。学校は嫌いだったから、「また学校へ行くのか」と思いましたよ。途中《とちゅう》で予科練に入ったもんだから、中学も卒業していませんからね。それで東京で下宿をすることになったんです。兄の高校時代の先生が増上寺《ぞうじょうじ》の中に住んでいて、一対一で勉強を教えてくれました。それで東京工業大学附属工業専門部（当時存在していた実業専門学校のひとつ）に入れてもらい、その後、東京工業大学に進学して卒業しました。

1番上の兄を頼ってソニーへ

和久井　ご兄弟で大阪大学に早稲田大学、東京工業大学。お母さまは海軍兵学校をすすめるなど、教育熱心な方だったんだなという印象を受けます。その後、お兄様が創設したソニーには、どのような経緯で入社されたんですか？

盛田　親父は1番上の兄貴が帰ったら酒造りをやらせようと思っていたのに、ソニー（当時の東京通信工業株式会社（東通工））を創ってしまった。それで実家は2番目の兄貴が継ぐことになったんです。私は三男ですから、親父はどうでもいいと思っていたらしいんですよ。じゃあ私はそのまま東京にいたいと思って、「兄貴のところへ行く！」と言って、１９５１年に東通工に入りました。社員番号は70番台でしたね。

和久井　もうそんなにたくさん社員がいたんですか？

盛田　うん、6年目でね。１９４５年に終戦になって、１９４６年に東通工ができた。スタート時は25、26人くらいの会社だったと思うけれど、それから3倍近い人数になってたかな。

和久井　以前、盛田さんが「入社したときソニーはほんの小さな会社だったから、僕にとっては今でも町工場《まちこうば》みたいなものだ」とおっしゃっていて、驚きました。バブル景気（１９８６年

12月〜1991年2月の日本の好景気）を知る人には、ソニーは憧《あこが》れの大企業でしたから。

盛田　事務所なんてなかったですからね。会社そのものが工場で、そこで作ってたんですから。

和久井　戦後の高度経済成長期に日本が変わっていく様《さま》をずっと見ていらしたわけですよね。

盛田　そうですね。軍国主義の日本で育って、戦争を体験して、コテンパンにやられちゃった戦後の焼け野原を横目に学校に行って、ソニーに入って……それで急成長して世界のソニーになって。おもしろかったですね。今の方たちにはできない経歴ですね。

和久井　私が生まれたのは戦後26年目の1970年なのですが、その時点ですでに、高度経済成長期のあとで戦争の爪痕《つめあと》を感じることはありませんでした。東京から富士山がまるまる見えたぐらい焼けて何もなくなった状態から、ものすごい勢いで復興《ふっこう》したんですね。

盛田　終戦後に都会の人がなぜ持ちこたえられたかというと、物を貯めておくことが1番大事だったからですね。当時は「金持ちになるというのはお蔵を建てること」というひとつのメジャーがあったんです。とにかくなんでも貯めて、それで「これだけ自分のものがある」というのが価値だった。だから物のない時代に、みんな貯めてあった着物や何かを持って田舎へ行って、お米や野菜に替えてもらった。それでみんな生き延びたわけですね。今はみんなすぐ捨てますし、そもそも物を持たない時代になったので、大違いですよね。

和久井　私も引っ越しをするたびに、物が増えないようにいろいろ捨てています。

盛田　我々はまだ捨てるということが、なかなかできません。何かのときに困るんじゃないか、という気がしちゃって。

和久井　盛田さんをはじめ、いろんな方とお話をしていると、みなさんとてもポジティブで素敵だなと思います。今年で94歳になられたと思いますが、健康の秘訣《ひけつ》はなんですか？

盛田　やっぱり、気楽なんでしょうね。あんまり物事を深刻に考えないからね。

和久井　その考え方が影響しているのかもしれませんが、うかがったお話からは、戦争時の様子にも悲惨な印象は受けませんでした。昔から前向きでしたか？

盛田　ですね。嫌な話を覚えてても、なんの得にもならないでしょう？　損得勘定《そんとくかんじょう》が強いのかもしれないですね。得になることしか覚えてないですから。

和久井　確かに、悪口や愚痴《ぐち》ばかり言う人とは、話をしたいと思いません。盛田さんとお話していると、とても元気になります。大変貴重なお話をありがとうございました。

＊　＊　＊

空に憧れて、国を守るために飛行機乗りの訓練を受けた盛田さん。そんなふうにがむしゃらに目の前のことに突き進まれた結果、ソニーを世界的な企業にすることができたのでしょう。何もかもを当たり前に、自然に受け止めているように感じました。「僕にとってソニーは今でも町工場なんですよ」とおっしゃっていたことも印象的です。

本書では、こんなふうにその時、その時を一生懸命生きた若者たちのお話をまとめています。

さまざまな方のお話を読んで、わからない言葉、気になることが出てきたら、ぜひ調べてみてください。意外な発見があるかもしれません。ある人は軍隊に興味を持つようになるかもしれないし、ある人は政治、ある人は文化に興味を持つようになるかもしれません。「知りたい」と思うことがひとつでも見つかることを願っています。

この本が、いろいろなことを考え、興味を持つきっかけになったら、こんなにうれしいことはありません。

和久井香菜子

COMMENTARY

七つボタンは桜に錨

【Keyword】予科練

予科練《よかれん》とは、正式には「海軍飛行予科練習生《かいぐんひこうよかれんしゅうせい》」という日本海軍の航空機搭乗員《こうくうきとうじょういん》（パイロット、偵察員）養成制度《ようせいせいど》のひとつです。予科練は1930年に始まり、14歳から17歳までの青少年5807人が志願して79人が合格し、第1期生として横須賀海軍航空隊《よこすかかいぐんこうくうたい》で3年間の教育を受けました。実倍率は実に73.5倍だったわけですから、予科練が憧れの的《まと》であったことがわかります。

日本は太平洋戦争の初頭、空母機動部隊《くうぼきどうぶたい》が太平洋を渡ってハワイを奇襲《きしゅう》した真珠湾攻《しんじゅわんこう》撃《げき》や世界で初めて航空機の攻撃で戦艦《せんかん》を沈めたマレー沖海戦など、戦争の歴史を塗り替える成果を上げましたが、そこには予科練で養成された若くて優秀な航空機搭乗員の活躍があったのです。

太平洋戦争が始まると、海軍はそれまで各期200人から1000人であった練習生を3万人以上に増やし、搭乗員を大量に養成するようになりました。特に1943年には予科練を宣伝するための映画『決戦の大空へ』が放映され、「若い血潮《ちしお》の予科練の七つボタンは桜に錨《いかり》」で始まる主題歌『若鷲《わかわし》の歌』が大ヒットしたことで、青少年はこぞって予科練に志願したと伝えられます。

しかし、戦況の悪化によって、教育期間はコースによって半年から1年8カ月ほど短くなりました。そのため1944年6月のマリアナ沖海戦で米軍から「マリアナの七面鳥《しちめんちょう》撃ち」（襲来する日本軍航空部隊に対して、アメリカ海軍機動部隊が圧倒的な勝利を収めたことをあらわす。七面鳥はのろまな人のたとえ）といわれるほどに搭乗員のレベルは低下しました。そして1944年10月に特別攻撃隊（Episode09参照）が作られると、多くの予科練出身パイロットが出撃して亡くなることになります。青少年の憧れであった予科練には、終戦までの15年間で約24万人が入隊し、そのうち2万4000人が戦地に赴き、約8割の1万9000人が戦死したのです。

予科練の学生たちの様子（予科練平和記念館年報第1号より）

「玉音放送」って何？

この本のテーマでもある「玉音《ぎょくおん》放送」の音声を聴いたことがある人、放送の内容を文字として読んだことがある人は、とても少ないのではないかと思います。玉音放送によって終戦が伝えられた、敗戦を受け入れたという知識はあると思いますが、果たしてその知識は正しいのでしょうか。

玉音放送とは、１９４５年8月15日の正午から日本放送協会（現・ＮＨＫラジオ第１放送）で行われた、昭和天皇自らが「大東亜《だいとうあ》戦争《せんそう》終結《しゅうけつ》ノ《の》詔書《しょうしょ》」を読み上げて、国民に日本の降伏を伝えた録音放送のことを指します。玉音とは「天皇の肉声」のことで、明治以降の天皇は神格化されていたため、天皇の声を一般国民が耳にしたのは、ラジオを通してとはいえこれが初めてのことでした。

まずは、玉音放送の現代語訳を見ていきましょう。

私は世界の情勢と日本の現状を深く考え、緊急の方法で混乱した状況をおさめようと思い、忠義で善良な国民に告げます。

私は日本政府にアメリカとイギリス、中国、ソ連の4カ国に対して共同宣言（注・ポツダム宣言）を受諾することを通告させました。

そもそも国民が平穏に暮らし、世界の国々と共に栄えて喜びを分かち合うことは、歴代天皇が遺してきた教えであり、私も常にそうするように努めてきました。アメリカとイギリスに宣戦布告した理由も、日本の自立とアジアの平和と安全を願ってのことであり、他国の主権や領土を侵害することは、言うまでもなく私の本心ではありません。しかし、戦争が4年も続くなかで、軍人は勇敢に戦い、役人は職務に励み、一億国民は努力し、みなが最善を尽くしてきましたが戦局は好転せず、世界の情勢は私たちに不利にはたらいています。それだけでなく、アメリカは新たに開発した残虐な爆弾（注・原子爆弾）を使用して、罪のない人々を殺傷し、その被害ははかり知れません。それでもなお戦争を続ければ、日本人の滅亡を招くだけでなく、ひいては人類の文明さえも破壊することになってしまうでしょう。そのようなことになれば、私はわが子ともいえる多くの国民を守っていき、歴代天皇の霊に謝罪できるでしょうか。これが、私が政府に共同宣言を受諾するように指示した理由です。

私は日本と一緒になって東アジアの解放に協力してくれた友好国に対して、申し訳ない思いでいっぱいです。日本国民も、戦死したり、殉職したり、あるいは不幸な運命で命を落としたりしました。それらの国民と遺族のことを考えると、私は悲しみで身も心も引き裂かれる思いです。また、戦争で傷付いたり被害にあったり、家や仕事を失ったりした国民の生活についても、とても心を痛めています。これからの日本はとてつもない苦難を受けるでしょうし、国民の気持ちもよくわかっています。しかし、それでも私は時の運命に導かれるまま、堪えがたいことを堪え、忍びがたいことを忍んで、将来のために太平の世を切りひらいていこうと思います。

私はこのように国体（注：天皇を中心とする秩序）を守ることができ、国民の忠実な心を信じて、常に国民とともにいることができます。感情のままに争いごとを起こしたり、日本人同士で陥れあったりして国内を混乱させ、国の方針を誤ってしまい世界から信用を失うことは、私が最も戒めることです。国を挙げて家族のように団結して、子孫ともども日本は永遠であることを信じて、再生への道は遠く繁栄の責任は重いことを自覚して、すべての力を将来の建設のために傾け、道徳と志を大切にして、国の真価を発揮して、世界の流れから遅れないよう努力しなければいけません。国民のみなさんは、私のこの考えをよく理解して行動してください。

みなさんは現代語訳を読んで、どう感じましたか？　今の感覚からすると、天皇が政治について国民に指示したり語りかけたりすることに違和感があるかもしれません。しかし、大日本帝国憲法では天皇が国を統治する主権者であり、国民は臣民《しんみん》と呼ばれ、天皇の支配下にありました。また、宣戦布告と講和も天皇の権利でした。そのため、玉音放送は終戦を決意した天皇が、それを国民に知らせるというかたちで行われたのです。

それでは、玉音放送はどのような状況で行われたのでしょうか。１９４５年7月26日、アメリカとイギリス、中国（当時の中華民国）の３カ国は「日本軍の即時無条件降伏」などを求めたポツダム宣言を発表しました。宣言の主な内容は次のとおりです。

●日本国民をだまして戦争に引きずりこんだ者の権力・勢力を永久に取り除くこと
●平和・安全・正義の新しい秩序ができるまで連合国が占領すること
●日本の主権が及ぶ範囲（領土）を本州・北海道・九州・四国と連合国が決める小島に限定すること
●軍の武器を完全に取り上げること

●戦争犯罪を犯した者を罰して言論・宗教・思想の自由と基本的人権を尊重すること
●被害を与えた国への賠償を行い、再軍備と軍事産業を禁止すること
●民主的・平和的な政府ができたら占領軍は引き揚げること
●無条件降伏を宣言すること
●この宣言を受け入れない場合は、迅速で完全な破滅があること

しかし、ソ連が宣言に名を連ねていなかったため、日本はソ連を仲介者《ちゅうかいしゃ》とする連合国との講和に小さな望みをかけて、7月28日に鈴木貫太郎《すずきかんたろう》首相が「(宣言を)黙殺《もくさつ》する」と発表したのです。するとアメリカは「迅速で完全な破滅」として、広島(8月6日)と長崎(8月9日)に原子爆弾を落としました。また、ヤルタ会談で対日参戦を密約《みつやく》したソ連は8月8日に日本に宣戦布告して、翌9日から満州《まんしゅう》や樺太《からふと》、朝鮮半島、千島《ちしま》列島への侵攻を開始しました。この進退きわまる2つの大事件を受けた政府と軍部は10日、御前会議《ごぜんかいぎ》で昭和天皇の「聖断《せいだん》」を得て、「国体護持《こくたいごじ》」を条件とする宣言受諾を決定し、ラジオ放送や中立国を通じて連合国に伝えました。その後、連合国からの回答で国体護持ができると判断した政府と軍部は14日に改めて御前会議を開き、再度の聖断を得て宣言を受諾。すなわち、〝連合国への降伏〟を受け入れたのです。

降伏を受け入れず、本土決戦を主張していた陸軍でクーデターが起こることを懸念《けねん》した昭和天皇は、自ら読み上げた「大東亜戦争終結ノ詔書」を録音し、15日正午から国民に向けてラジオ放送することを決めました。そして、国民には、ラジオ放送は天皇自らが行うものなので必ず聴くようにと伝えられ、ラジオ放送を聴くための電力も供給されました。このような事前の伝達があったため、このあとのエピソードでも多くの方が回想しているように、軍隊や職場、学校でみなが集まって玉音放送に耳を傾けたのです。

8月15日正午、時報が鳴り終わるとアナウンサーが「ただいまより重大なる放送があります。全国聴取者のみなさま、ご起立願います」と司会し、放送はスタートしました。報道を担当する内閣の情報局総裁が「天皇陛下におかせられましては、全国民に対し、畏《かしこ》くも御自《おんみずか》ら大詔《たいしょう》を宣《の》らせ給《たま》うことになりました。これより謹《つつし》みて玉音をお送り申し上げます」と放送が天皇自らの勅語朗読《ちょくごろうどく》であることを説明したのち、国歌「君が代」の演奏が流されます。それから4分あまり、「玉音」が放送されたのです。しかし、ラジオ放送の音質が悪く、詔書が難解な文語体で書かれている上に、昭和天皇の朗読に独特な節まわしがあったため、玉音放送の意味がわからず、周りの雰囲気や玉音放送に続いて放送されたニュースで敗戦を察したという人が多かったようです。

さて、玉音放送を境に戦争は終わったといえるのでしょうか？　玉音放送の位置づけは、先に述べたとおり、天皇が国民にポツダム宣言を受け入れることを伝えるものです。そのため、連合国に対しては、玉音放送以前の8月10日と14日に、ラジオ放送や中立国を通じて受諾する意思を表明していました。しかし、日本軍の最高司令部である大本営《だいほんえい》が即時停戦を指示したのは8月16日だったため、それまで、日本と連合国との間で戦闘が続き、双方に戦死者が出ています。

実際に「降伏」が確定したのは、ポツダム宣言受諾についての意思表示によってではなく、玉音放送から約半月後の9月2日、東京湾に進出したアメリカ海軍の戦艦ミズーリで行われた日本と連合国の代表による「降伏文書」への署名によってです。その際、昭和天皇は「降伏文書調印に関する詔書」を発して、政府と軍部の代表者に対し、降伏文書に署名すること、連合国軍最高司令官の指示に従うことを命じました。そのため、アメリカでは1945年9月2日を「ＶＪ ｄａｙ（対日戦勝記念日）」と定めています。さらにいえば、国際法上、日本と連合国の戦争状態が終わるのは、1952年4月28日のサンフランシスコ平和条約発効を待たなければなりませんでした。

本書では、次に示す目的と構成に基づいて、解説をしています。また、外国の地名等は37ページの地図を参照してください。

解説　吉永憲史

～この本の目的～

この本の目的は、1945年8月15日の「玉音放送」について、放送を聴いた方々に当時のことを振り返ってもらい、戦争の時代を生きた人たちが実際には何を感じて、その後どのように生きてきたのかを記録することです。このように関係者から直接話を聞き取り、記録してまとめることを「オーラル・ヒストリー（口述歴史）」といいます。

一般に歴史学は、国や有力者などが作成した資料などの文献を調べていく手法をとります。しかし、文献から得られる内容には限りがあります。例えば、ある政策が何年に決定したという「結果」はわかりますが、政策を決める上でどのような議論が行われたのかという「経緯」は文献に残っていないことが多いのです。そして、一般の人々の日常生活や感情など、その当時の“常識”であったことは文献として残されることは少なく、それらは時が経つにつれ忘れ去られてしまいます。オーラル・ヒストリーは、文献からでは明らかにできない部分を補う手法であるといえます。

この本では終戦から70年以上経って忘れ去られてしまっていた当時の感情や常識、世相をオーラル・ヒストリーによって再現していきます。そうすることによって、授業で学んだ歴史的事実をよりリアルに、立体的に理解することができるようになるはずです。

～この本の構成～

この本は

❶ 玉音放送を聴いた語り手の回想

❷ お話を聞いた著者の取材後記

❸ 回想に登場したキーワードから見る当時の世相《せそう》解説

という3部構成になっています。当時のことを回想する語り手の方々は、戦争や政治、経済を指導する立場にあったのではなく、時代という大きな渦に巻き込まれながら懸命に生き抜いた"元・子どもたち"です。そのため、語り手の口から語られる「歴史」は、その人にとっての個人的な事柄（真実）ではあっても、客観的な事柄（歴史的事実）とは異なることがあるかもしれません。また、戦後70年以上もの月日が経っているため、記憶が曖昧になっている部分もあるでしょう。そのためこの本では、お話の内容を補足するために、キーワードというかたちで歴史的事実の解説を行っています。

目次

MHz

本書に登場する 1945年当時の主な地名

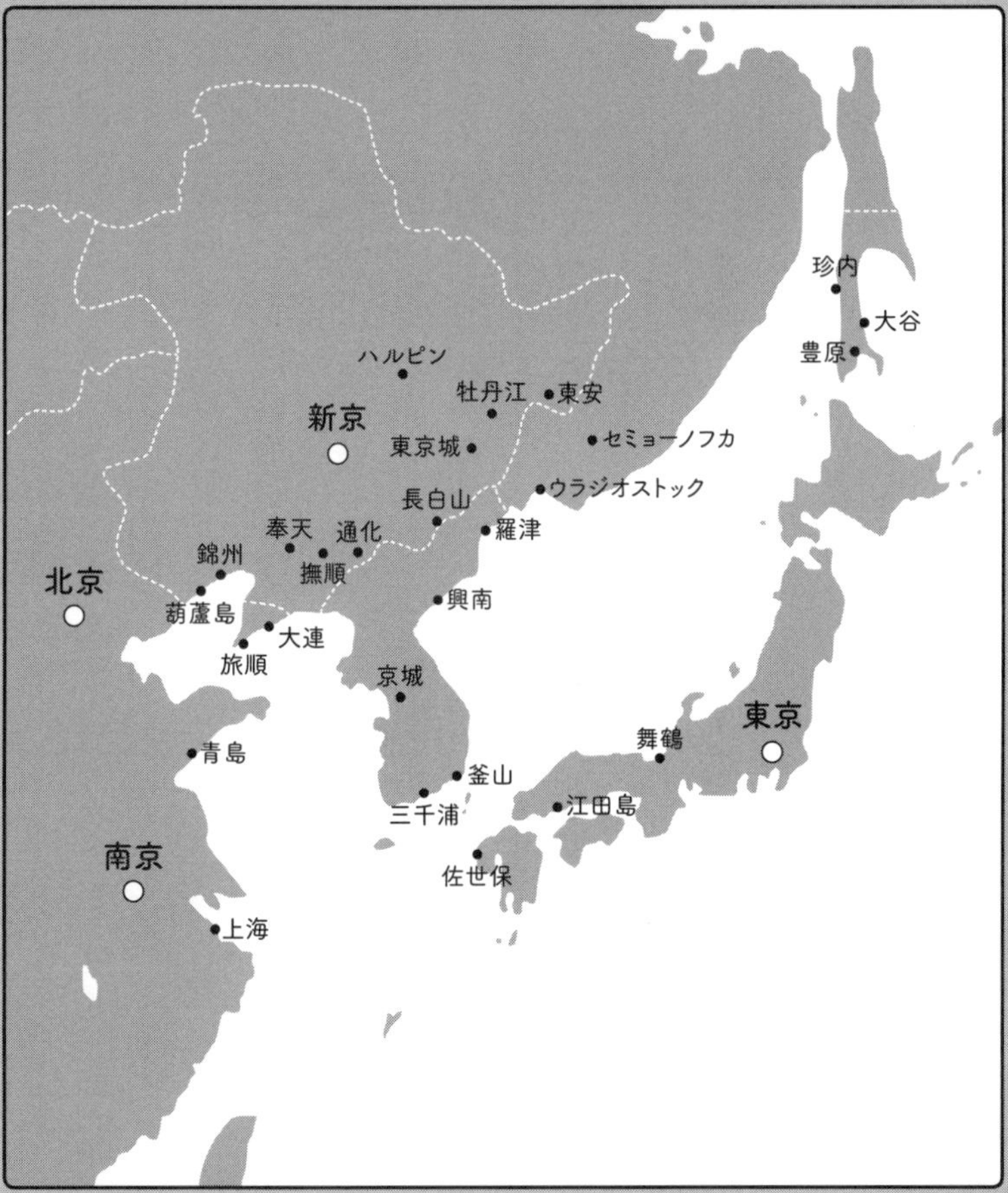

Episode

01

Soichi Yokoyama

何度も狙われた鹿児島で大空襲を生き抜いた少年の物語

横山壮一

よこやま・そういち

1932年生まれ／終戦時13歳

福岡県で育ち、父親の転勤で京都府に移る。1942年2月に父親が他界し、母親の実家がある鹿児島県に疎開《そかい》。鹿児島県の旧制中学校に在学中、終戦を迎えた。1945年に起きた鹿児島大空襲を経験。終戦後は同志社大学に進学し、東京都で就職する。

「死んでも自分はちっともかまわない」――『海行かば』を歌った小学校の卒業式

日米開戦――つまり、太平洋戦争が始まったのは1941年12月8日、僕が小学校3年生のときでした。その2日後の12月10日には、日本海軍航空隊がマレー半島沖でイギリス東洋艦隊の戦艦プリンス・オブ・ウェールズと巡洋《じゅんよう》戦艦レパルスを撃沈したというニュースが流れて、授業中に、その絵をみんなで描いたことを覚えています。軍艦が火を噴いている上に、日本軍の戦闘機・96式陸攻と1式陸攻が飛んでるって情景でね。あのころは、戦争の絵を描くのがひとつの流行りだったんですよ。

その2カ月後、1942年の2月に父が亡くなって、僕は弟妹3人を連れて、母の実家がある鹿児島県に引っ越すことになりました。それから祖父母との同居が始まりました。じいさんは当時60代で、日露戦争に出征したことのある厳しい人でね。ばあさんはばあさんで、「男の子は台所なんかに入っちゃいけない」って言うわりに、庭の掃除とか風呂の水汲みとか、とにかくいろんな手伝いをしろっていう厳しい人でした。当時は水道がなくて井戸だったから、ポンプで水を汲んで風呂に入れるんですよ。寒い日だろうとなんだろうと、毎朝、それをやらされていましたね。

当時、鹿児島県の中流階級の住宅にはどこも広い庭がついていたんです。台風が多い地域なので、表には石積みの塀があって、塀の外からは屋根くらいしか見えない。家の前の道路は舗装されていなくて土道《つちみち》だったんだけど、掃除をするときは自分の家の前だけじゃなくて、必ず両脇の家の半分くらいまで掃かされてね。毎日手伝いでクタクタになっていました。

開戦以降、毎年12月8日には小学校の生徒が校庭に集められて、天皇陛下が発した「戦争の勅令《ちょくれい》」を校長先生が読むんです。これがすごく長くて

マレー沖海戦で撃沈されたイギリスの戦艦プリンス・オブ・ウェールズ

……鹿児島県は南国とはいえ、4年生以上は冬でもはだしだったから、その時間がただただつらかったっていう思い出だよね。

それから、先生たちが出征兵士の家庭の子どもたちにかけていた言葉もよく覚えてます。だんだん戦局が悪くなってきて、子どもたちの父親がどんどん出征していった。するとそういう子たちに対して先生が「この子のお父さんは出征して立派に戦っています」って話を、みんなに言い聞かせるんです。

そうそう、学校には、卒業生や生徒の親といった、戦地で亡くなった人の写真が飾ってある「英霊室《えいれいしつ》」という部屋があってね。今では考えられないだろうけど僕たちが子どものころは誰かが何か悪いことをすると連帯責任で、クラス全体で怒られるなんて当たり前でね。先生が木刀を持っていて、悪いことをするとボーンと殴るんですよ。お尻だけならまだいいんだけど、頭を叩かれてたんこぶができたりすることもあって。それでも言うことを聞かないと、英霊室に連れて行かれるんです。そこで「これだけの人が戦争で頑張って亡くなったんだ、お前たちもしっかりしなきゃダメだ」と説教されたりすることもありました。

明治以降、特に日中戦争が始まった1937年以降は、天皇が神格化されて、「絶対」の存在だと教育されていたんです。校長先生でも、天皇陛下の話をするときには必ず、枕詞で「畏《おそ》れ多くも」とつけていてね。「畏れ多くも天皇陛下にあらせられましては……」ってね。そう聞こえたとたんに、みんな直立不動でしたよ。

僕は1945年3月に小学校を卒業したのだけど、その時歌ったのは『仰げば尊し』ではなくて『海行《うみゆ》かば』でした。これは万葉集の防人《さきもり》の歌でね。防人が九州に派遣されて、自分は大和朝廷の盾になるんだ、という内容なんです。歌詞は今でもはっきり覚えていますよ。

「海行かば　水漬《みづ》く屍《かばね》　山行かば　草生《む》す屍　大君《おおきみ》の　辺《へ》にこそ死なめ　かへりみはせじ」

海に出れば海の水に漬かった死体になっていい、陸を行けば草の生えた死体になってもいい、天皇のために自分は尽くすんだ、それで死んでも自分はちっともかまわない——という歌なんです。それが、卒業式の歌だった。

その年の4月、僕は旧制中学校に入りました。小学校のクラスが50人くらいとすると、そのうち中学に進むのは10人くらいでしたね。当時は、男子は旧制中学、女子なら高等女学校と、中学からは男女別学だったんです。僕が中学に入ったころは、いわゆるペーパーテストはなくて、先生の推薦と面接だけで合格が決まりました。面接では、面接官に聞かれる質問がいくつか想定されててね、その中のひとつは、今でも記憶していますよ。

「アメリカ軍の空襲があって、伊勢の皇大神宮《こうたいじんぐう》の上で爆弾を落としたらどうなるか？」

なんて答えると思う？　もしもそういう質問が出たら、「その爆弾は皇大神宮の建物を避けて落ちます」と答えなさいって教わったんです。伊勢の皇大神宮は天照大神《あまてらすおおみかみ》、天皇の家の祖先だからね、そんなところに爆弾が落ちるはずがないってね。当時はそれくらい、天皇陛下が神格化されていたんです。

全員強制だった幼年学校受験

中学に入って勉強を始め、1年の5月になると、今度は幼年学校の試験がありました。昔の軍隊の学校は、陸軍なら幼年学校、陸軍士官学校、陸軍大学校、海軍なら海軍兵学校、海軍大学校と進むのが将軍・提督《ていとく》への道だったんです。中でも幼年学校は、陸軍にだけある中学2年生から行ける学校でした。僕が行った鹿児島県立中学校は県で一番成績のいい学校で、卒業後は陸軍士官学校と海軍兵学校へ進む人が多かった。ただ、希望者だけが受験するというわけではないんです。生徒全員が、1年生から幼年学校の試験を受けるんです。僕の学年にはクラスが6つあって、300人くらいが受験して、そのうち合格したのは3人ほど。合格した生徒にだけ先生が通知をしてくれるんだけど、6月くらいから来なくなる奴がいて「あいつ、受かったのかな」と噂になっていました。

1945年6月17日、鹿児島大空襲の日。あの日は、夜中に、ダダダダッ！というものすごい音がして目が覚めました。びっくりして雨戸を開けたら、もう前の家が燃えていた。そのころにはうちのじいさんは亡くなっていて、僕が家の中で一番年上の男だったから、みんなを連れて庭の防空壕《ぼうくうごう》に入ったんです。当時は各家庭の庭に防空壕を掘っていたからね。

ところが6月は雨期でしょ。防空壕の中には水が溜まっていました。そのうちに火が近づいてきて、このままでは危ないと、隣の家の防空壕に移動したんです。そこに人はいなくてね、避難していたのは僕ら家族だけ。するといよいよ僕たちの家も燃えはじめて、火の粉がこちらにも降ってくる。これはいけないと、僕たちは再び防空壕を出ました。道路の向こうにドブ川があったので、そこに向かって逃げたんです。

さらに100メートルくらい先に、ばあさんの親戚の家があってね、そこまで行ってみたらまだ燃えていなかった。伯父さんや従兄弟たちもいて、やっと大人が大勢いるところに合流できて、一安心しましたね。彼らも家財道具を庭に運び出して、防空壕に一晩避難していたんです。でも結局、その家も焼けてしまった。夜が明けて、これからどうするのかなと思っていたら、ウーッてサイレンの音が聞こえて、消防車が来たんです。見たら谷山町《たにやまちょう》（現・鹿児島市）という隣町の消防車でした。わざわざ越境して確認しにきてくれたのは、伯父さんが隣町の町長をしていた関係かもしれない。だから、ラッキーだったんです。

その消防車に親戚のみんなとうちの家族で乗せてもらって、隣町にある、当時町長をしていた伯父さんのお屋敷に避難しました。焼けたのはうちの周りくらいかと思っていたんだけど、見渡す限りずーっと焼け野原でした。木材はブスブスと燃え続けているし、煙は充満していて、言葉では表現できない嫌な臭いがする。あとで読んだ資料によると、あの空襲で鹿児島市街地の90％以上が焼けたんです。死傷者が５８００人以上もいたそうで、うちの近所の人もずいぶん亡くなりました。悲惨な話だからあまりしないんだけど、中には、防空壕に入っていたために煙に巻かれて亡くなった人もいるし、逃げる途中で焼夷弾《しょういだん》に当たって亡くなった人もいたと聞いています。

7月27日、鹿児島大空襲から1カ月ほど経ってから、中学校がどうなっているか気になって見に行くことにしました。僕が通っていた鹿児島県立

中学校は、西鹿児島駅、現在の鹿児島中央駅の裏手にある西田町《にしだちょう》（現・鹿児島市）にありました。でも最寄りの駅まで行っても電車も汽車も動いていていない。仕方ないから、8キロメートルくらいある道のりを歩いて行ったんです。

道中ずっと焼け

空襲を受けた鹿児島市街地から見る桜島（総務省提供）

野原だったんだけど、西鹿児島駅周辺だけ建物が焼け残っていて、少し期待しましたね……。学校に近づいていくと、正門の両脇の石垣のところに軍刀をついて立っている将校が見えました。当時、中学校には「配属将校」という陸軍の軍人が一人ずついて、軍事教練を担当していました。その将校が立っていたんです。物々しい雰囲気にちょっとびっくりして、敬礼しただけで通り過ぎようとしたんだけどね、焼けてしまった校舎が目に入って、動けなくなってしまった。「ああ、学校も焼けてしまったんだ」と思うと愕然《がくぜん》としてね。学校も焼け、街も焼け、この先日本はどうなるのだろうと不安な気持ちでいっぱいになりました。

終戦間近に続いた鹿児島大空襲

その後、西鹿児島駅まで戻ったところで、空襲警報が鳴りました。それで急いで、駅の防空壕に入ったんです。その日はよく晴れていて、空の向こうからB-29が編隊を組んで飛んでくるのが見えました。そのうちに、どこからかズドドドド！という爆撃の地響きがして。15分くらい経ったかな……静かになったと思ったら、今度は空襲解除のサイレンが鳴ったんです。あとから、その時の空襲で僕がいた西鹿児島駅から3キロメートルほどのところにある鹿児島駅がやられたと聞きました。ちょうど、軍隊を運ぶ輸送列車が止まっていたんだそうです。当時はわからなかったけれど、アメリカ軍に情報が筒抜けで、それを狙われたんじゃないかという話でしたね。

それから数日後、大学生の従兄と一緒に怖い物見たさで鹿児島駅に行ったら、防空壕の入り口には黒焦げになった死体、広場には背中が赤く焼けただれた死体がたくさん倒れていました。そのとき初めて、焼死体を見たんです。「うわっ、大変だ！」と思いました。

僕がはっきりと記憶している最後の空襲は7月31日、近所の人たちと外にいたときに襲撃されました。アメリカの艦上戦闘機・F6Fだったかな。グラマン社が開発した戦闘機が急降下してきたんですよ。すごい音がしてね。「これはいけない」と思って近くの防空壕に逃げ込んだら、ダダダダ！と銃撃されました。ギリギリ難を逃れたけれど、間一髪だったと思います。外に出てみたら、家の軒先に弾が一発刺さったまま残っていた。それをほじくり出して、しばらく記念に取っておきました。

その日から終戦の日まで、どうやって過ごしたか覚えていないんです。家の手伝いでもしていたのかな。唯一記憶にあるのは、夜は空襲が怖くて家の中では眠ることができなかったこと。毎晩庭の狭い防空壕の中で眠りにつきました。次の記憶は8月14日の晩。町長をしていた伯父が家に帰ってきて、「日本は負けたよ」って言ったんです。「明日、玉音放送があるから」って。

それで、翌日の15日のお昼に、僕たちはラジオを持っている知り合いの家に集まりました。でも、肝心の放送は、ザーザー言っていてよく聞こえなくてね。「朕《ちん》」と言われた、昭和天皇の重々しい口調だけが印象的でしたね。あとは「汝臣民《なんじしんみん》」「米ソ」「受諾《じゅだく》」と、途切れ途切れに、言葉の端々だけが聴き取れた感じでした。

玉音放送を聴いたあとどうしたかは覚えていないけど、その日の晩のことは記憶にある。夜中に外からガラガラという大きな音がするんです。なんだろうと思って外に出てみたら、おばさんたちが大八車《だいはちぐるま》に大きな荷物を積んで、山のほうへ逃げている。アメリカ軍が日本に上陸すると、女子どもは危ないと言われていたからね……。

数日後、今度は日中に家の南のほうの道からダーッと大きな音がしはじめました。「何ごとかいな!?」と思ったら、指宿《いぶすき》の海軍航空基地で待機していた軍の部隊が武装解除されて、引き上げてきていたんです。戦車もいたし、大砲もガラガラと押されていた。そんな大移動が1週間くらい続きました。

ようやくそれが終わったころ、8月の終わりか9月の初めごろだったかな、今度は陸軍の通信部隊がやって来ました。50～60人だったと思う。電話線が全部焼けちゃってるから、鹿児島から指宿までの電話線を復旧するために来たと話していました。部隊の人たちは、女学校の校舎に寝泊まりしながら、修理をしていましたね。僕らはその兵隊さんたちと仲良くなって、ご飯を食べさせてもらったり、家に招待したり。その時に出会った平尾さんという方には、その後も大変お世話になりました。

あの玉音放送を聴いた夜の私の心の内はどうだったのか――。75年以上が過ぎた今となっては、思い出せないのが正直なところです。何せ、13歳の少年。しかも一家の大黒柱であった父親を失った母子家庭の長男でしたから、明日をも知れぬ状況の中、きっと毎日が不安と緊張の連続ではなかったかと思います。それでもあのころは、その状況下を生き抜くしかなかった。それが、自分たちが生まれた時代で、当たり前だったんですよ。僕たちはただ、今の人たちと同じように、必死に生きていたんです。

Writer's note

日本に入ってきたアメリカ兵

大空襲があれば見に行き、鹿児島駅が焼けたと聞けば見に行った横山さん。終戦後には「米兵を見に行こう」と、米軍が進駐《しんちゅう》していた鹿児島第二中学にも行ってみたそうです。その帰りに彼らと電車で遭遇したとか。鹿児島は沖縄を守るための最前線基地で、特攻隊の多くが鹿児島の知覧《ちらん》や鹿屋《かのや》から飛び立ちました。そうした軍の施設に、アメリカ軍が進駐してきたんですね。

当時、アメリカ兵の集団が乗った汽車が来ると、「婦女子は駅舎に入ってください」という構内放送が駅で流れたという話を聞いたことがあります。誰もいなくなったホームに、入ってきた汽車の中から、ポンポンとチョコレートが投げられたそう。それを隠れていた子どもたちが拾いに行こうとすると、慌てて連れ戻されたといいます。警戒を解かない日本人と、勝者の余裕があるアメリカ兵。大人たちが怖がる中、少年だった横山さんがアメリカ兵を見に行った様子からも、子どもたちのほうが環境の変化に柔軟だったことがうかがえます。

終戦後に大荷物を抱えて人が移動していたという話を聞いて、終戦時に神奈川県厚木《あつぎ》基地のそばに住んでいたある女性の話を思い出しました。当時、厚木基地は海軍の施設だったそうですが、その方は玉音放送の前日、8月14日に大きな荷物をどんどんトラックでどこかへ運び出しているのを見かけたそうです。その話を聞いたとき、私は思わず「M資金だ!」と叫んでしまいました。M資金というのは、戦後、GHQが接収した日本の金銀などを原資として作ったとされる"秘密資金"のことです。現在も極秘裏に運用され続けているとまことしやかに噂され続け、たびたびその資金をめぐる詐欺事件も起きています。もしや厚木でも鹿児島でも、海軍がこっそり運び出していたのはそのM資金なんじゃ……!? と、つい興奮してしまいました。おそらく、取材前に浅田次郎氏のM資金に関する小説『日輪の遺産』を読んでいたせいですね。

さて、基地から運び出された荷物は、どこへ行ったのでしょうか。

戦争のはじまり

【Keyword】戦艦プリンス・オブ・ウェールズ

日本は1941年12月8日、アメリカのハワイを奇襲した真珠湾攻撃と同時に、東南アジアで南方作戦という大規模な軍事行動も行いました。これによって始まった太平洋戦争について、当時の日本は大東亜戦争と呼んでいました。この戦争の名前の意味、すなわち日本が戦争を起こした目的から考えれば、南方作戦のほうが重要であったといえるでしょう。

19世紀後半から第1次世界大戦までは列強が弱小国を植民地として支配する帝国主義の時代で、アジアではアメリカがフィリピン、イギリスがインドやビルマ（現・ミャンマー）、マレー半島など、日本が朝鮮と台湾を統治していました。そのような中で、日本は1931年に満州（現・中国の東北部）に「満州国」を建国しました。そして、1937年には盧溝橋《ろこうきょう》事件をきっかけとして、中国との全面戦争に入りました。この戦争を日中戦争と呼びます。このときアメリカは中国を支援しつつ、日本との戦争を避けるための交渉も続けていました。しかし、1941年に交渉が決裂して、太平洋戦争が始まりました。

日本の目的は、アジアに植民地をもつアメリカやイギリスなどを追い出して石油や鉄などの資源を確保し、泥沼化した日中戦争を解決することでした。そのため真珠湾攻撃と同時にマレー半島やフィリピン、香港に向けた南方作戦を行いました。横山さんの話に登場する戦艦プリンス・オブ・ウェールズは、日本がマレー沖海戦で撃沈したイギリスの軍艦です。皇太子を意味する最新鋭の軍艦が沈没したことを知ったチャーチル首相はのちに、「これほどの衝撃を受けたことはなかった」と振り返っています。

このように日本が行った戦争の背景には、列強によるアジア支配があります。遅れて列強入りした日本は、中国大陸から東南アジアに軍を進めることで、日本を中心とする東アジアのブロック体づくりを目指したのです。

列強によるアジア支配（1941年12月）

Episode

02

Takako Kondo

樺太に取り残された日本語・朝鮮語・ロシア語を操る少女の物語

近藤孝子

こんどう・たかこ

1931年生まれ／終戦時14歳

樺太《からふと》に生まれ、女学生時代に終戦を迎える。終戦後、ソ連の侵攻があったが、朝鮮人の夫と結婚していたため日本本土へ引き揚げることができずに、現地に残留。日本と国交が断絶される中、ソビエト連邦（ソ連）の国籍をやむなく取得した。1990年に一時帰国を果たし、42年ぶりに家族と再会。2000年に永住帰国し、現在は東京都で暮らす。

戦争中は平和だった樺太の生活

私は樺太（現・ロシア連邦サハリン州）にあった珍内町《ちんないちょう》（現・サハリン州クラスノゴルスク）という村で生まれました。樺太は石炭や林業、製紙業が盛んな場所で、父も林業を営んでいました。日本が戦争で苦しんでいるときも、豊かな場所でしたよ。

ところが私が小学1年生のときに、父が怪我をして足を切断し、仕事ができなくなってしまいました。それで母が働くようになったので、学校から帰ると弟を連れて母の職場に行くようになったんです。小学校2年生の夏、大人の間でどんな話があったかはわからないけれど、突然伯父さんから「うちに一緒に行こう」と言われて、私はひとり、ついて行きました。伯父さんの家に女の子はいなかったので、着物を着せてくれたり、みんなでお祭りに行ったり、近所の神社で肝試ししたり、家の仕事を手伝いながらもいろんなところに遊びに行って、楽しく過ごしていましたね。

そうして戦争の影響を特に感じることなく小学校6年生になり、1943年9月に大谷（現・サハリン州ドリンスク）に来ました。転校先の学校は半年ほど通って卒業し、女学校へ進学したんです。朝早く起きて、いとこと2人分のお弁当を作って、汽車で落合（現・サハリン州ドリンスク）まで通っていました。

戦争に負けるとは思っていなかったですね。学校では「大和魂だ」とか「必勝だ」とか「頑張ろう」とか言われていましたから。戦争に行った人の家のお手伝いもしていましたし、悲惨な空襲の体験もないんです。

女学校に入ったら、夏は勤労奉仕ばかりで、雨の日以外は勉強ができなくなりました。もっと勉強がしたいのに、授業がなくなってしまった。男手が兵隊として戦争に行ったうちの畑を手伝ったり、冬は曲がった釘を直したり、鉄砲玉を磨いたり、いろんなことをしましたね。

1945年8月は陸軍大谷飛行場近くの寄宿舎で集団行動をしていて、女学校で軍馬《ぐんば》用の草刈りに行っていたんです。8月15日は、朝起きたら霧雨が降っていました。いつもなら7時くらいには草刈りに行くのに、先生が「今日は午前中は休みになった」って言うんです。「12時から天皇陛下の重大な発表があるから聴くように」って。先生たちがどこからかラジオを持ってきて、講堂の壇上に置いて、みんなで聴きました。でも雑音が多くて、何を言っているのかわからない。先生が「日本は負けた、学校は解散する」と言うので、家に帰ったんです。先生は泣いていたけれど、私は、「勝つって言っていたのに負けたのか」なんてボンヤリ考えるくらいで、その時は家に帰れるのがとにかくうれしかったことしか覚えてないですね。

以前から「戦争に負けたら、外国人にどんな目にあわされるかわからない」と言われてはいました。それでも、ロシア人があんなにもすぐにやってくるなんて思いもしなかったですよ。

終戦と共に生活が一変。帰れなかった日本

8月17日には、ソビエト連邦（以下、ソ連）の飛行機が飛んできて、町を爆撃していきました。女の人は、見つかったらどこへ連れていかれるかわからないからと、男性の格好をしてい

ましたね。うちの前に大きな道路があったんですが、戦車が通っていくのをよく見かけました。そのたびに、家中がガタガタと地震のように揺れるんです。

8月22日に、政府の通達《つうたつ》で、女子どもは北海道へ疎開《そかい》することになりました。15歳以上の男性は残ることになっていたので、伯母といとこ、私と弟の4人で豊原《とよはら》（当時の樺太の中心地、現・ユジノサハリンスク）まで行ったんです。お弁当やかりんとうをこしらえてね、9時ごろに出て、着いたのは11時くらいだったかな。そこでお昼を食べていたら、「疎開は中止になった」という放送が流れたんです。北海道の留萌沖《るもいおき》で疎開船3隻が魚雷を受けて沈没したらしくてね。１０００人以上が亡くなったんですよ。そ

近藤家のきょうだい。右が近藤さん（近藤さん提供）

れで私たちは豊原を出て、再び家に戻ることになりました。

すると、5分も経たないうちに飛行機が来て、豊原駅を爆撃していきました。今、その駅前だった場所にはレーニン像が立っていますが、当時はそこに防空壕があったんです。遠くから来ていて、近くに逃げ込めるうちがなかった人たちはそこに避難していたので、爆撃されてたくさんの人が死にました。私たちはたった5分早く移動したおかげで、助かったんです。

ソ連兵が侵攻してきて初めて、ロシア人を見ました。体格はいいし、ヒゲはもじゃもじゃ、どの人を見てもみんな同じ顔をしてる。向こうからしても、違う生き物を見るような気持ちは同じだったでしょうね。お互いに気を緩めないのよ。でも彼らは鉄砲を持ってるから強い。夜は押し入れに隠れたり、屋根裏に上って寝たり、どこにも行かずに隠れていました。

ソ連兵は家にも土足で入ってきて、時計や万年筆を盗っていくんです。何度も来るうちに、手当たり次第なんでも持っていくようになりました。引っ越したばかりで大したものもなかったけれど、洋服や鏡台なども盗られてしまった。目の前で持って行かれても、何も言えないんです。逆らっても銃で撃たれるだけだから。年ごろの女の子が暴行された話も聞いていたし、本当に恐ろしかった。

1946年の夏になると、ソ連の将校たちがやってきて略奪《りゃくだつ》はなくなりました。伯父さんの家は大きかったので、一部屋をロシア人家族に貸し、ようやく生活も落ち着いていったんです。

生活のために朝鮮の男性と結婚

戦中樺太では、若い男性はみな兵隊に召集《しょうしゅう》されてしまっていました。だから炭鉱で働く人員を確保するために、朝鮮人に作業をさせていたんです。中には、朝鮮で結婚して数日後に無理矢理連れてこられた男性もいたようです。劣悪な宿舎に入れられて、食べるものもろくに与えられないような状況で、仕事をしなかったら叩かれる。彼らに対する扱いは本当にひどいものでした。かわいそうで見ていられなかったですよ。

今でもよく覚えているんですが、渡辺組という「飯場《はんば》」があって、朝鮮から来たそこの人たちは日本人の親方にいじめられていましたね。飯場というのは、作業員たちの食堂や宿泊施設のことです。それで、終戦後引き揚げが始まった時には、「お前たちは朝鮮人だから船に乗せない」って言うんですよ。無理矢理連れてきて働かされていたのに、そんなの誰だって怒るでしょう。

伯父さんは林業の組頭をしていて、樺太中のいい木が生えている場所に行っては、段取りをして木を切っていました。技術職だったから、終戦後もすぐには樺

小学校4年生の近藤さんと友人たち。おかっぱ頭は当時の標準的な髪型（近藤さん提供）

太から引き揚げられなかったんですね。ソ連に事業を引き渡すのに、炭鉱や林業、製紙の技術者は残されたんです。

1948年の1月に、伯父さんが「飯場のご飯がまずくて食べられない」というから、1カ月くらい、私が行ってご飯炊きをやっていたんですよ。そのときに伯父さんの会社で会計係をしていた朝鮮人が、私の夫となった人です。

当時、若い男性は朝鮮人、日本人で樺太に残っているのは老人と女子どもしかいません。女性たちは生活に困って、朝鮮人の嫁になったんです。相手は男一人で来ているし仕事はある。結婚して、家族全員を養ってもらったんですね。

私は伯母さんといざこざがあったために家にいたくなくて、友だちの家に行っていましたが、いつまでもお世話になるわけにもいかない。1948年5月に9歳年上の朝鮮の男性と結婚しました。恋愛も何もわからない。面倒を見てくれる人がいたら誰でもよかった。暮らしていくために、結婚する必要があったんです。

旦那の父親は慶尚南道《キョンサンナムド》の人で、「樺太は金儲けできる」と聞いて開拓に入ったそうです。当時は隣の家まで一里もあるような田舎で、クマが出てくるし、外を歩けなかったと聞いています。旦那のきょうだいは樺太の日本人学校を卒業していて、旦那も日本人の名前を名乗っていたし、朝鮮語は話してなかった。

ひとり残され、樺太で8人の子どもを育て上げる

9月になると、伯父さん夫婦と弟が引き揚げることになりました。私が大谷駅まで見送りに行くと、「一緒に行こう」と言われたんです。旅券《りょけん》はいらなかったけど、名簿には載っていないし書類がないから、行けるわけがない。舅《しゅうと》は私がついて行かないように見張りをつけてよこしましたしね。こうして、朝鮮人と結婚した日本人妻は樺太に残されてしまったんですよ。

しかもね、旦那は独身かと思っていたら、奥さんを亡くしていたんですね。実は子どもが2人いて、人に世話をさせていたんです。放っておかれるのはかわいそうだと思って、連れ戻し

て私が育てました。私も6人産んだので、全員で8人の子どもを育てたんです。家には夫の弟やいとこも一緒に住んでいて、12、13人の大所帯。大勢のご飯を炊くのに、苦労しました。

終戦までは、日本人もアイヌも朝鮮人も、みな「日本人」として暮らしていました。でも日本人が引き揚げてしまうと、残された朝鮮人たちが樺太を支配するようになった。学校で教えるのは朝鮮語、「日本人のせいで苦労をしているんだ」と思う人も多く、日本人だと言えずに改名する日本人妻もいたんです。私は、子どもが学校で教師から「日本語をしゃべったら罰金だ」と言われたというので、意地になって朝鮮語を覚えましたね。

1952年になると、ソ連から「国籍を決めろ」と言われました。国籍がないと、ロシア人と同じ仕事をしていても給料は少ないし、隣の村に行くにも許可をもらわないといけない。いつか日本に帰るつもりではいましたが、生活するためにソ連の国籍を取りました。

1953年にスターリンが死ぬと、生活は楽になりましたが、日本語はまだ話せませんでした。その後1985年に始まったペレストロイカ（ゴルバチョフがソ連で進めた政治体制の改

今もユジノサハリンスクに残されている、樺太時代に作られた郷土博物館（日本サハリン協会提供）

大泊（現・コルサコフ）の王子製紙工場の跡。現在もサハリンに残る日本領時代の廃墟には、製紙工場跡がいくつか見られる（日本サハリン協会提供）

革運動のこと）以降は日本人も日本語を話せるようになりましたが、生活用品はどんどんなくなっていきましたね。ただ、学校は無料、病院も出産も無料です。勉強ができる子は奨学金がもらえました。共産主義国なので、ソ連時代はお給料は一律ですが、サハリンは極東手当てがついて1・5倍。1年働くと1カ月お休みがもらえて、国内旅行の旅費は全部出してもらえる。当時は16カ国がソ連というひとつの国だったので、クリミアやタシュケントなど、いろんなところに行きました。

1990年にようやく日本への一時帰国が認められ、3週間ほど日本へ来ました。伯父さん夫婦は亡くなっていたけれど、弟が空港まで迎えに来てくれてね。ようやく家族と再会できた。42年ぶりでした。

Writer's note

サハリン残留とごはんのこと

近藤さんは、日本語、朝鮮語、ロシア語と3カ国語を操ります。どこへ留学へ行ったのでもない、ただ、樺太に住み続けていただけで、です。戦争中は空襲も何もなく暮らしていたのに、終戦後にソ連が侵攻してきて、地上戦が始まったことに驚きました。働き手の男性は朝鮮人、女性は日本人という民族構成もかなり特殊です。本文にもあるように、南樺太は日本の領土だった時は朝鮮人もアイヌも全員日本文化を基本として生活をしていて、終戦後には男性たちが社会を動かしたため朝鮮の文化がメインになり、ソ連政府が動き出してからはロシアの言語・文化を強制されました。

近藤さんたちは、長い間、日本政府から「いなかった」ことにされていたそうです。政府からは「樺太からは日本人は全員引き揚げてきた。残っているのは朝鮮人だけだ」と言われていたとか。樺太に残った日本人は推定で400人。圧倒的に人数が少なく、戦後はソ連と国交が断絶していたため、行き来もできませんでした。満州からの引揚者は大勢いますし、アメリカに接収されていた沖縄とは国交がありました。しかし近藤さんたちの存在は、なかなか日本国内まで知られなかったのです。ソ連と国交が回復し、樺太出身の方が故郷を訪問できるようになりました。そうして帰った人が、故郷で何人もの日本人を発見したんです。どれほど驚きだったでしょうか。それから帰還運動が始まったのだそうです。

戦後、近藤さんの伯父さんが米軍からもらってきたペースト状の肉の缶詰が「バターみたいにパンに塗ってもおいしかった」とのこと。ソ連と日本の国交が回復して、日本に先に帰国した伯父さんと手紙のやり取りをしていたら、「あのときのアメリカの缶詰をお土産に持ってきてくれ」と言われたそうです。「そんなのとっくにないわよ!」と笑っていました。

日本人が引き揚げてしまうと、日本の食材が手に入らなくなってしまいました。それで豆腐、みそ、醤油、納豆などの日本の食材は、近所の朝鮮人に教わって作るようになったそうです。そのため和食は食材から全部手づくり。近藤さんはとてもお料理上手なのです。その上、夫は朝鮮人、手に入る食材はソ連のもの。近藤さんの家の食卓には、和風、朝鮮風、ロシア風のお料理が違和感なく並ぶのだそう。カレー粉も手に入らなくなったので、黄色の色素と胡椒でアレンジしてライスカレーをつくっていたそうです。

COMMENTARY

日本の国土

【Keyword】樺太

「北は北海道から南は沖縄まで」は日本の国土を表す言葉ですが、終戦までの日本を同じように言い表せば、「北は樺太から南はパラオ諸島まで」となるでしょう。日本は世界の帝国主義の流れにのって海外に国土を広げていった歴史があります。おおむね樺太と北海道から沖縄までを内地と呼び、台湾や朝鮮、南洋諸島など海外の国土と満州（現・中国東北部）など植民地を外地と呼びました。また、そのほかに日本の軍隊が占領して治めていた地域もありました。

日清戦争に勝利した日本は1895年に清（中国）から台湾を譲り受け、1905年には朝鮮の支配権を巡って起こった日露戦争に勝利してロシアから樺太の一部と南満州鉄道を譲り受けました。そして、1910年に大韓帝国（現・韓国と北朝鮮）を併合したのです。ロシアから手に入れた南満州鉄道には満州の一部都市を支配する権利が含まれており、植民地経営の土台になりました。最後に、第一次世界大戦に連合国側として参戦して勝利した日本は、1922年にドイツの植民地であった南洋諸島を委任統治することになります。その後の満州の植民地化と東南アジアの占領はEpisode01で解説したとおりです。

近藤さんの話に登場した樺太は、江戸時代末期には日本人とロシア人が暮らし、両国が領有を主張する土地でしたが、1875年の樺太・千島交換条約でロシア領になりました。日露戦争後に北緯50度より南側が日本の国土となりましたが、太平洋戦争の終戦間近にソ連（現・ロシア連邦）が占領して現在に至っており、領有権が定まらない状態が続いています。

戦争によって譲り受けたり、失ったりした国土の歴史は、今も中国や韓国、ロシアとの間に複雑な問題として横たわっているといえるでしょう。

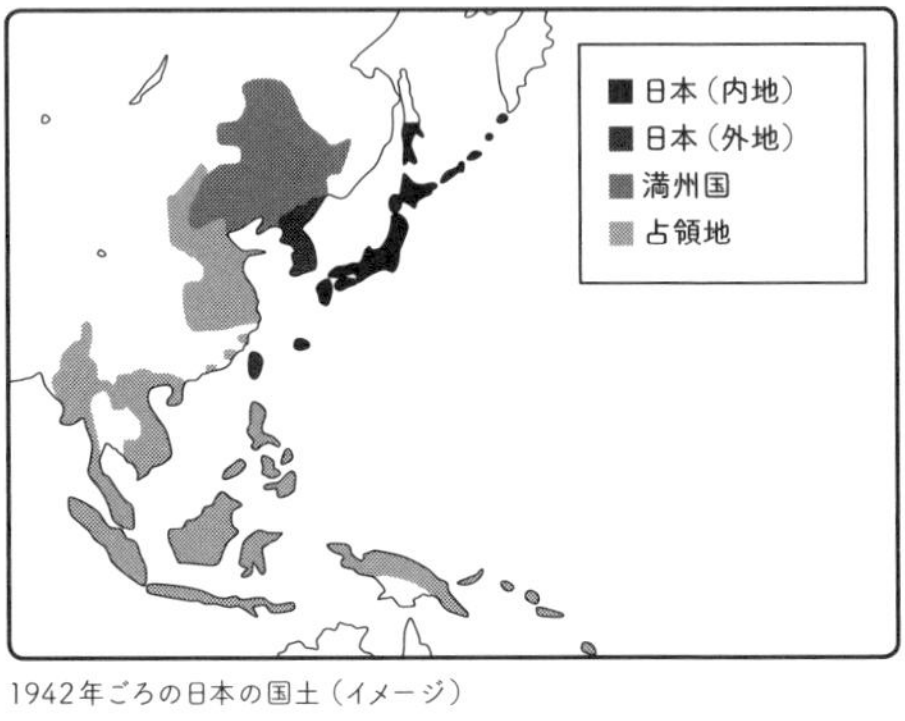

1942年ごろの日本の国土（イメージ）

Episode

03

Jiro
Sato

家族を守り続ける武士・軍人の家系に生まれた少年の物語

佐藤次郎（仮名）

さとう・じろう

1928生まれ／終戦時17歳

家族で九州から満州へ移住し、その後、陸《りく》軍士官学校《ぐんしかんがっこう》へ進学。群馬県新鹿沢《しんかざわ》で長期演習中終戦を迎える。本籍《ほんせき》のある九州の田舎に帰って働きながら、家族の帰国を待った。その後、会社員になり、定年まで勤め上げる。

祖父から父、父から自分へ。自然だった軍人への道

私は軍人の息子です。先祖は武士の家柄でした。明治以降軍人の家系となり、祖父も父も軍人でした。1937年に日中戦争が始まり、父が満州のハルピンに転任になったため、家族と一緒に九州から満州に移住しました。小学校の4年生のときでした。そこから6年生のときに奉天《ほうてん》（現・中国瀋陽《しんよう》）に移り、中学4年生で大連へと移りました。2、3年ごとに転校していたので、友だちも少なかったですね。学校によって教科書も授業の進み具合も違うので、本当に苦労しました。

当時、中学に進学するためには、入学試験を受けなければなりませんでした。中学校で転校する際にも、編入試験《へんにゅうしけん》を受けました。中学5年生のときに陸軍士官学校を受験し、合格したので1945年2月に埼玉県朝霞《あさか》市にある学校へ入りました。

明治以降、日本は国民に国を愛し、同胞《どうほう》を愛する教育を行っていて、一体化を図っていまし

た。日本の男性には選挙権が与えられ、徴兵制《ちょうへいせい》が施行《しこう》され、成人になれば徴兵検査を受け……国と国民を守る義務があったのです。よく「軍人は戦争をしたいんだろう」と言いますが、決してそうではありません。軍人だからって、戦争をして死んでいくと思ってはいません。どこの国の人だって、戦争で死んでいいなどという人はいないでしょう。

ただ、祖父も父も軍人でしたから、自分も軍人になるのだと、子どものころからごく自然に思っていました。まして、戦争中でしたから、当たり前のように軍の学校を受験したわけです。

「負けたんではない。停戦だ」受け止められなかった敗戦

士官学校を出た人間は、指揮官になります。戦場では、部下を連れて戦わなければなりません。戦場では、鉄砲の撃ち合いが行われています。銃弾《じゅうだん》が飛び交います。当然、弾《たま》に当たれば死にます。指揮官が部下に「戦って散れ!」と命令することは、「死ね」ということにもなるのです。命令したときに部下が従ってくれるかどうかは、上官を信服《しんぷく》しているかにかかってき

ます。ですから、士官学校では「部下に信頼される人間になれ」と、上官からよく教育されました。

また、指揮官を育てる学校といっても学校には変わりないので、学科と教練、体育があります。学科は国語（古文、現代文）、漢文、国史、東洋史、世界史、日本地理、世界地理、数学、物理、化学、工学（航空機を扱うため、エンジンに関する機械工学、通信に関する電気工学等）、外国語は、英語、ドイツ語、フランス語、ロシア語、中国語（当時は支那語と呼んでいました）の中から自分で選択します。私は英語を選択したかったのですが、教官から「支那語はある程度親しんでいただろうから支那語にしては？」と言われ、素直に中国語を選択しました。

1945年3月10日の東京大空襲の際には朝霞にいましたから、校庭の防空壕に退避《たいひ》して、「やられている」と思い、無念の気持ちで見ていました。B-29が300機くらい来た

朝霞市の陸軍予科士官学校記念館（陸上自衛隊提供）

んじゃないかな。それが焼夷弾《しょういだん》をバラバラと落とすわけですよ。籠《かご》から放たれたように途中で分解して、火がついて落ちていく様子は花火のようでした。盛んに燃えて空が赤く染まっていく様子を見ながら、「残念だ」との思いでいっぱいでした。

7月に入って航空部隊は朝霞に残り、地上部隊は埼玉の中条村《ちゅうじょうむら》（現・熊谷市《くまがやし》）、群馬の新鹿沢《しんかざわ》へ長期演習に出ました。私は新鹿沢でした。新鹿沢では旅館を借りあげ、寝泊まりし、野営に出たりして、学科や教練《きょうれん》を受けました。8月には広島や長崎が特殊爆弾《とくしゅばくだん》で攻撃されたと聞きました。「ああ、大変だ」と思ったけれど、「負ける」という雰囲気ではなかったんです。

戦争末期にアメリカ軍によって東京にも大規模な空襲が行われた。一面、焼け野原になった

1945年8月15日の朝、ラジオ放送があると言われ、全員で広場に集合して整列して聴きました。実はラジオを聴いた際には、音声が雑音に消されてしまって、何を言っているのかよ

くわからなくてね。天皇陛下がお話しされていたこともわからないほどでした。あとでそれが玉音放送だったと聞いたときは、「大変な時期であるので、国民のみんなは心をひとつにして頑張ってもらいたい」とのお言葉をくださったのだと思ったんです。みんなもそういう気持ちで聴いていたと言っておりました。教官から「戦争をやめるという放送であった」と説明を受けた時は衝撃でね……。「負けたんではない。停戦だ」と思っていましたよ。その後、軍隊は解体され、軍の学校もなくなることになった。それでようやく「あ、負けたのだ」と実感しましたね。

家族のために高等学校への進学を諦めて就職

玉音放送を聴いてから数日後、「自分の家に帰れ」との命令が出ました。でも自分の家は大連だし、帰る方法も手段もないので、本籍のある九州の田舎に帰ることにしたんです。家があるから寝泊まりするのには差し支えないだろうと思ってね。学校を出るときに120円が支給《しきゅう》されたと思っていたのですが、のちに同期生会で「150円だった」「400円だった」と言う者もいて、いかにみんなの記憶があいまいかがわかります。

九州に帰る際には、新鹿沢を早朝に出発して、歩いて上田の駅まで行きました。30キロメートル近くある道のりです。駅につくと国防婦人会《こくぼうふじんかい》の人たちがいました。国防婦人会とは、国を守るため主婦や若い女性で作られた会です。その人たちからおにぎりをもらって、食べ物なんて何も持たずに出発したので大変うれしかったですね。「お昼の弁当代わりに食べるように、いくつか持っていきなさい」と包んでもらいました。本当にありがたかったです。

復員証明書《ふくいんしょうめいしょ》をなくさないように握りしめて、上田駅から汽車に乗りました。復員証明書は、兵員としての召集が解かれたことを証明するものです。東京駅に着きましたが、実際にはどう乗って行くかはわかりませんでした。九州に行くには東京から東海道線に乗り下関に行き、下関から連絡船に乗り換えて門司に、門司からは鹿児島本線に乗って目的地の駅に行けばいい、と地理で習っていたので、駅員に聞くことにしました。「今日は東海道線で貨車が下関方面へ行くので途中で停車するが、またそこで聞いて、乗り継いで行けばいい」。そう教えてもらって出発したものの、どこで乗り継いだか、覚えていません。どの汽車も満員で、乗り込むのに無我夢中《むがむちゅう》だったんです。

家に着くと、留守を管理してくれていた伯父か伯母がいると思っていたので「ただいま！」と言って中に入りました。ところが、そこには知らない人がいる。しかも、彼らはそこに住んでいたんです。びっくりしましたね。戦時中、伯父伯母が屋敷を貸していたのでしょう、相手も大変驚いていました。

そんなわけで部屋がなくなってしまったので、自分の家にもかかわらず、使っていなかった3畳の仏間《ぶつま》で寝泊まりしていました。彼らが引っ越したのは、それからひと月くらいしてからでしょうか。私のことを気の毒に思ったのだと思います。

高等学校へ行きたいと思って帰りましたので、編入試験を受け、学費等を払い込んで編入しました。ただ、大連にいた家族はいつ帰国してくるのかわかりません。学費等は、復員時にもらって来たお金では到底払い続けられません。なんとかして稼がなければと思った私は、給与を払ってくれる会社を新聞を見て探しました。

当時は石炭が「黒いダイヤ」といわれて景気がよく、給料も高いといわれていたので、炭鉱会社の求人を見つけ、すぐに面接に行ったんです。無事に採用され、働きに行くようになると、そこにはいろいろな人がいました。自分ではもう大人だと思っていましたが、実際は17、18歳。何もわかっちゃいません。さまざまな経験をしてきた人たちがいろいろな話をしてくれて、本当に勉強になりました。

1947年の初め、家族が帰国したと連絡がありました。それで炭鉱会社を辞め、家に帰ったんです。ところが、家に帰ると、父親だけ残されたことを聞かされました。中国では、旅順と大連を結ぶ旅大道路の大連側に住んでいましたので、終戦後すぐにソ連軍が進駐してきて、「検問するのに都合のよい場所だから1時間で出て行け」と言われ、私の家族は荷物をリュックサックに詰めてひとつずつ持ち、収容所に入ったそうです。

その後、父が戻ってきたのは翌1948年の春のこと。父は将校でしたから、公職追放《こうしょくついほう》になって、どこにも勤められません。私はこれでようやく学校に行かれるものとばかり思っていましたが、家族が生活していくためには誰かが働いてお金をもらってこなければなりません。「家族の生活が一番先ではないか」と言われ、なんとか学校に行く方法はないものかと三日三晩《みっかみばん》話し合いましたが……結局、私が父親に代わり働くほかないということになりました。それで会社員の募集がありましたので試験を受けて勤務することになりました。

1955年に東京に転勤となり、その後家庭を持ちました。その時の会社で、定年まで勤めました。

私は幼少期から、「自分で言ったり、したりしたことは後悔しない。後悔するぐらいなら初めからするな。悪いことは絶対にしない」――と心に決めていました。ですから、軍人になろうとしたこと、終戦になって天皇陛下のお言葉を拝聴したときのこと、ひとりで本籍で生活したこと、炭鉱に行ったこと、学校を諦めて勤めたこと……などなど、さまざまな体験をしてきましたが、もしあの時学校に行っていたら、もしほかの人と結婚をしていたら……なんて、現実と違うことをしていたらどうなっていたか、などと考えたことはありません。意外と、のんびりとしていたのかもしれませんね。平々凡々《へいへいぼんぼん》と過ごしてきたのでしょう。

現在は老年になり、夫婦でふたり暮らしをしています。健康で、よい家族に恵まれて生活していますので、振り返って、後悔するようなことはありません。ふたりで「ありがとう。ありがとう」と感謝しながら、平穏《へいおん》に生活しています。

Writer's note

なぜ日本は負けたのか?

佐藤さんは陸軍の軍人でした。陸軍と海軍はどう違うのか、おおざっぱに言うと海軍が船で人やものを運んで、陸軍が現地で戦うイメージでしょうか。当時はまだ空軍はなかったので、陸軍も海軍も飛行機を持っていました。今回お話を聞いた中で、たびたび「南方」という言葉が出てきました。南方とは、戦時中の東南アジア一帯のこと。当時の日本にはとても重要な地域でした。

戦争が始まる前、日本は満州建国や中国への侵攻を、アメリカなどの列強から批判されていました。そして「考えを改めないと鉄や石油の輸入を止める」と脅されたのです。日本は鉄や石油をアメリカからの輸入に頼っていたため、供給がなくなると産業も交通もすべて停止してしまいます。当時、アジア各国はヨーロッパの国に植民地化されていて、安い賃金で働かされ、不公平な貿易を強いられるなどひどい状態にありました。日本は「アジア解放」といって、植民地政策から救うという建前のもと、アメリカと戦うために資源の豊富な東南アジアを占領しようとしたのです。日本は真珠湾攻撃と同時に南方への侵攻を進め、シンガポールやマレーシア、タイなどに進軍しました。戦争が始まって半年ほどで、日本は占領地を広げ、南西はビルマ(現・ミャンマー)、南東はソロモン諸島、北東はアリューシャン列島まで拡大させました。しかし開戦から半年後、1942年6月のミッドウェー海戦で主力空母4隻と歴戦のパイロットを失った日本は、この占領地をどんどん失っていきます。

広大な占領地に対し、兵力も足りなくなっていきます。戦局が悪化する中で、飛行機や船が次々と攻撃され、現地の日本軍はどんどん孤立していきます。1944年にサイパン島が陥落すると、直接B-29が日本本土を空襲できるようになり、もはや日本は、海も空も安全ではなくなったのです。物資や食料が補給されることのない中、南方では多くの日本兵が餓死したり、衰弱により病死したりしました。ガダルカナル島、インパール、レイテ島などが激戦地として知られています。こうした地域への人員がほかの地域から補充されたのですね。

日本軍が敗戦を続けた理由のひとつに、暗号があります。なんと開戦前から日本の暗号の一部がアメリカやソ連に解読されていたのです。それに気づかず、終戦まで日本は同じ暗号を使い続けました。開戦の理由はたくさんありますが、敗戦の理由もまた数多くあるのです。

COMMENTARY

身近だった陸軍

【Keyword】陸軍士官学校

明治政府は1874年、士族《しぞく》による軍隊から徴兵制度による「国民皆兵《こくみんかいへい》」を目指して徴兵令を発しました。以降、“陸軍と国民の関係”が始まったといえます。昭和に入ってからの陸軍については、満州事変や二·二六事件、日独伊三国同盟《にちどくいさんごくどうめい》などの歴史から政府を無視して戦争を拡大していったというイメージがありますが、そのような政治的な側面とは別に、国民、特に男性にとって陸軍はとても身近な存在であり続けました。

明治から終戦までの日本では、20歳に達した男性全員が徴兵検査を受けて、合格者は出身地の部隊に入隊しました。このような人たちを「現役兵《げんえきへい》」といいます。検査を受けて即日入隊する「甲種合格《こうしゅごうかく》」は、体格に優れ健康であることを意味するため、軍隊に入ることは男性にとって“名誉”であるとも考えられていました。このような流れで、成人男性の5人に1人が3年間の兵役《へいえき》につきましたが、一部には兵役後も陸軍に残って職業軍人《しょくぎょうぐんじん》（下士官《かしかん》）の道を選ぶ人もいました。

また、一方では反戦思想《はんせんしそう》や軍隊での厳しい生活を嫌うなどの理由から、さまざまな徴兵逃れが行われたのも事実です。

佐藤さんの話に登場した陸軍士官学校とは、陸軍の指揮官となる将校を養成する学校です。士官学校の制度は何度も変わりましたが、おおむね16歳で入学し、20歳で陸軍少尉に任官して部隊で勤務しました。当時、「一高（＝東京大学）・海兵・陸士」という言葉があり、陸軍士官学校は東京大学、海軍兵学校（Episode04参照）と並ぶ最難関の高等教育機関でした。

学費・生活費が無料であり、20歳前後で高等官（現在のキャリア官僚）になれる陸軍士官学校は、当時の青年たちにとって魅力的に映っていたようです。

なお、陸上自衛隊市ヶ谷《いちがや》駐屯地《ちゅうとんち》には、陸軍士官学校本部の建物の一部が市ヶ谷記念館として保存されています。

陸軍で行われる軍旗際に訪れた市民

Episode

04

Shiro
Hayashi

一兵卒になりたくなくて海軍兵学校に入学した文学少年の物語

林 四郎

はやし・しろう

1926年生まれ／終戦時19歳

長野県岡谷市から1943年広島県の海軍兵学校へ入学。卒業直前に終戦となったが、その後卒業証書が送られてきた。戦後は農業、代用教員などの職を経て上京し、1949年7月1日小学館へ入社。46年間働いて専務まで務め、1995年に退職した。

羊かんが楽しみだった訓練

私は17歳から2年間、広島県の江田島《えたじま》にある、海軍兵学校に通っていました。江田島は、瀬戸内海に浮かぶ小さな島です。

あのころはね、20歳を過ぎると徴兵《ちょうへい》検査があって、体の頑丈な人は2〜3年間軍隊に入っていたんです。みんなそれが嫌でね。検査のときに醤油をいっぱい飲んで行って血圧を上げたり、兵役《へいえき》から逃れるためにいろいろと工夫したんですよ。軍隊に入って軍事訓練を受けなければならないって覚悟した人と、覚悟できなかった人がいたんです。私はというと、文学少年だったから、「軍隊に入って一兵卒《いっぺいそつ》で叩き上げられるのは嫌だ。それなら兵学校に入って、初めから将校になったほうがいいんじゃないか」って安易に考えたわけです。みんながお国のために命を投げうって戦おうとしていた時代でしたから、私は非国民《ひこくみん》だったんですよ。

当時の海軍兵学校の校長が、井上成美《しげよし》という偉い人でね、「英語を敵性語《てきせいご》なんていってはいけない。君たちが世界に羽ばたくためには、英語がしゃべれなければなんの役にも立たない」と言っていたので、中学校のとき以上に英語の勉強をしましたね。一方で軍事に関する勉強はまったくしなかった。あとになって知ったことですが、校長たちは、近く戦争が終わって、将来の日本を再建するために、できるだけ優秀な人材を残そうとしていたという記録があるそうです。だから兵学校では英語、数学、国語といった、普通の学校とまったく変わらない授業を受けていました。ただ、きつかったのは体育。水泳の授業では、宮島《みやじま》まで20キロメートルくらい泳がされたり、弥山《みせん》の階段1300段を走りながら上らされたり、そういう訓練をしょっちゅうやらされていました。でも終わると、でかい羊かんが1本もらえるんです。有名なお店の羊かんで、それが楽しみでしたね。

兵学校では食事は3食ちゃんと出たし、お米もパンもありました。パンなんて、両手いっぱいにもおさまらないほどでかいんですよ。あと、メニューで一番多かったのは豚汁。食べる物には不自由しない生活だったので、一般国民がどんなに苦しんでいたか、わかりませんでした。

岩国の航空隊にいたとき、私たちの先輩、少尉とか大尉になっている人たちが、酔っぱらっ俺たちは今から飛び込むぞ！」って軍刀を持って自習室にやってきて、「貴様ら、よく聞け！ 必ず貴様たちがあとに続いて来ることを待っているぞ」って言って、各部屋をまわって歩くの。それから3日くらいすると、黒板に「××少尉、戦死」って、名前が書き出されている。それで「ああ、みんな死んじゃったな」って思うんです。

鹿児島には特攻隊員が行く女郎屋《じょろうや》（売春が行われていた飲食店）があってね、出兵する前日にそこへ行って、一晩中女性を抱いて、フラフラになりながら飛行機に乗って突っ込む——そういう死に方をした人も、当時はいっぱいいたんです。標的に当たる、当たらないは問題じゃなくて、「あいつはやってくれた」っていう、それだけ。だから、いい加減な戦争をしていた

式典が行われた大講堂の内部。壇上中央の席は「玉座」（筆者撮影）

んですよ。上層部はそんなことわかっていたくせに、戦争を続けようなんて……バカの集団だったんですよ。六法全書を読むとわかるけど、ポツダム宣言は完全な無条件降伏なんです。同じく降伏を受け入れたドイツは、いろいろ条件をつけた。なのに日本は、素直に「はい、わかりました」と。日本人はナイーブといえばそうだけど、バカといえばバカだよね。

〝キレイ〟だったキノコ雲の正体

1945年8月6日、今でも覚えているけれど、時計の針が8時15分を指すころにそれは起きました。毎朝8時30分に練兵場《れんぺいじょう》に整列しなければならなかったので、カバンに教科書を入れて、ちょうど生徒館を一歩出たときに、ブワーッ！と、目の前でフラッシュが焚かれたかのようなすごい閃光が走ったのです。数秒後、今度は火傷するようなものすごい熱風が吹いてきて、私たちはなぎ倒されました。すると誰かが「おい、あれはなんだ？」って指差したんです。立ち上がって見ると、キレイな雲が上がっていく。教科書などで見る、あのキノコ雲です。キノコ雲はすごい勢いでぐーんと上がっていきました。何がキレイだったかというと、キラキラ輝いている光が、雲の中にいっぱい散らばっていたんです。そのときは、なんであんなにキラキラしたものが光っているのかわかりませんでした。私たちは「ガスタンクが爆発したんじゃないか」なんてのんきなことを言っていたんです。

そしてあの日もいつもと同じように、12時から始まる昼食のために総勢3000人が三々五々、食堂に集まっていました。そしていつものように、食事の前、11時55分に拡声器から「トトツーツートトツーツー」というモールス信号が流れてきました。内容は「敵艦見ゆ」とか、そんなことです。モールス信号は海軍にとって大事な通信手段ですから、覚える必要があるんですね。信号が流れると同時にみんな手帳を出して、今何を言っているかを鉛筆で書くんです。

ただあの日は、モールス信号が止まって「ただいまから天皇陛下のお言葉があるから、謹んで聴くように」と指示がありました。すぐに放送が始まったけれど、「朕ナントカ」と言ったきり、あとはガーガーガーガーギーギーギー。「あれ？　何言ってるのかわかんねえな」ってボソボソとみんなで話し出しました。

当時は情報を収集するといったら、新聞とラジオ以外になかったんでしょう。ラジオだってお金持ちじゃなければ買えなかったから、特別な人しか聴いていない。海軍兵学校は将校を育てるための学校です。当然、新聞はいち早く手に入り、ラジオも聴けるだろうと思っていましたが、いざ入学してみると、軍内の情報すらろくに教えてもらえませんでした。ラジオを聴くこともなければ、新聞を読むこともできません。もっとも、当時の新聞は軍の統制下にあったから、日本軍が勝ったという記事ばかりでしたでしょうけれどね。

そうやって隔離されていたので、一般の国民がどんな生活をしていたかわかりませんでした。情報がなんにもないから余計に、「陛下のお言葉がある」と聞いても、まだ戦争をする気がある連中は「陛下が俺たちを激励されるんだろう」なんて軽く考えていた。だけど中には、「戦争が終わるんじゃゃねえか?」なんて言うのもいたんですよ。

食事の時には毎回、海軍の当直将校が壇上に上がって話をするんですが、そこで「今、天皇陛下からあったお言葉を私が説明する」と言われ、「実は日本がポツダム宣言を受諾して、戦争がこれで終わりになる」「君たちは平静を保て」「君たちをどうするかについては追って学校のほうから指示があるから、それまでは平静に生活するように」という命令が出ました。周りからは泣き声がいっぱい聞こえてきていたけれど、僕はケロッとしていたんです。

兵学校では実際に船に乗る乗艦実習など、いろいろな施設で訓練を行いました。そのうちの1945年1月から6月まで、私は山口県岩国市にある海軍の航空隊にいたんです。ところがそこには飛行機が一機もなかったんですよ。たとえB-29が来ても、戦闘機が迎え撃ちできない状態だったんです。寝る前にはいつも、「戦闘機が一機もないのに、どうやって戦争をするんだろう」って、みんなで話していました。

そういう状況を見ているから、玉音放送を聴いたとき、私は「ああ戦争が終わったんだな。万歳」と軽い気持ちで考えていました。

戦争が終わってちょうど5日経った8月20日、「海軍兵学校は今日をもって解散する。君たちは自分の田舎に帰れ」と命令が下りました。「汽車などの乗り物の切符はぜんぶ海軍が用意しているから、それを見せればどんな乗り物でも乗ることができる、帰る準備をしろ」というわけです。8月21日、そうして僕は実家がある長野県に帰るために、広島市の宇品港《うじなこう》（現・広島港）に向かいました。

考えてみると、爆心地から20キロメートルしか離れていないところにいましたから、私たちも原爆の被爆者《ひばくしゃ》なんです。そんなことも知らずに、8月21日、広島の駅に行かなければならないため、兵学校を出て、宇品港へ上陸しました。そこで初めて、あのキノコ雲がなんだったのか、そこで起きていたことを目の当たりにしたんです。路面電車はつぶれて、車輪の上に電車の骨組みだけが残っていたし、至るところにテントが張ってあって、野戦病院になっている。テントの中には体中に包帯を巻かれた人たちがいたんですが、あまりにかわいそうで下を向いてなるべく見ないようにして歩きました。遺体は外にはなくて、テントの中に収められていたようです。

中学時代の一番の親友（左）と林さん（右）。海軍兵学校在学中、諏訪に帰って撮った（林さん提供）

「ようやく助かったんだ」

炎天下でカンカン照りの中、宇品港から広島駅まで、歩き続けました。何時間かかったかな……7キロメートルくらいの道のりですが、瓦礫《がれき》の山を進んで行ったこともあって、ずいぶんかかってようやくたどり着きました。

ただ、駅までたどり着いたものの、人がぎゅうぎゅう詰めでホームに上れないんです。トイレに行きたくても動けないから、みんなその場で立ちションベンしていた。ときどき貨物列車が来るんですが、乗ろうとすると列車の中から足で蹴り落とされて乗れない。広島に着くまでにすでに山のように人が乗っていて、屋根にも人がいました。

それでもなんとか汽車に乗り込んで、2日間かかって名古屋へ着きました。駅のトイレに行くと、そこはもう、うんこの山でね……。トイレには扉なんてなくて、みんなその辺で中腰になって立ったまままうんこしてるの。

そこからようやく名古屋始発の中央線に乗ると、意外なことに、今度はガラガラ。「これなら楽に帰れるな」と思って座って寝ていたんだけど、木曽谷《きそだに》くらいに入ったところで、蝉の鳴き声がカナカナカナカナミーンミーンって聞こえてきてさ。「ああ、ようやく助かったんだ」と思ったら、急に涙がこみ上げてきました。

戦争から帰ってきて、一番感じたのは、食うや食わずで我慢をして、本当に戦争に勝てると思っていたのかな?ということ。だって女の人まで、みんな和服にモンペを穿いて、竹槍を持ってわら人形を「やあー!」なんて突いて戦う訓練をしていたんだから。そんなんで戦争に勝てるわけないでしょう? それでもあのころはみんな、真剣にやっていたんです。

Writer's note

海軍兵学校の絆が続いた戦後

林さんが訓練のあとに食べたという羊かんについて調べてみたところ、和菓子の老舗「虎屋」の羊かんだったことがわかりました。同社の社史によると、皇室御用達でもあった虎屋は、1941年以降軍関係の依頼が増え、海軍には「海の勲《いさおし》」という羊かんを納めていたことが記録として残されています。当時は甘いものなど手に入らなかった時代ですから「軍隊にはこうしたものがいくらでもあってずるい」と、一般の人たちからは妬まれていたようです。戦後になって「あの羊かんはうまかった」と振り返る軍関係者は多く、日々戦争の緊張感の中で訓練に励《はげ》んでいた方たちにとって支えのひとつだったのでしょうね。

海軍兵学校は、海軍の将校を育成するための学校でした。敷地は現在「海上自衛隊幹部候補生学校」となっていて、自衛隊の幹部候補生を育てる施設として使用されています。一般見学も可能です。現存する建物はどれも石造りで頑丈かつ装飾に富んでいて、講堂には天皇陛下を迎えるためだけの出入口があり、どれほどのエリート学校だったかが、その佇《たたず》まいからもわかります。見学ツアーに参加されている方たちは、海軍兵学校出身のご本人やそのご家族も多くいらっしゃるんです。

もうひとつ、お話の中で印象的だったのは、大手出版社の小学館入社後、「広告が欲しいな」と思ったときには、兵学校の名簿をめくったそうです。「こいつ社長やってるな」とわかるとそこに電話をかけ、「75期の林だ」と伝えれば、「ちょっと会おう」と言ってもらえたんだとか。そうなれば話は早いもので、銀座で一杯飲んで「俺のところに広告出せよ」と言えば、「じゃあ担当者をお前のところに行かせるよ」と、すんなり話がまとまったそう。海軍兵学校の卒業生たちは戦後重要なポストについた方も多かったようです。

また、お話に出てくる海軍兵学校の校長先生だった井上成美さんは、大変な人格者だったようです。敗戦を予期して、それを見越した教育をするなど、軍隊にも視野が広く柔軟な人がいたのですね。

林さんは、戦争中の日本について、「情報が規制され、新聞やラジオによって洗脳されていた」とおっしゃっていました。過去に何があったか学んでいれば、同じ過ちを繰り返さずに済むはずです。だからこそ、私たちが過去の戦争について学ぶことは、とても大切なのではないでしょうか。

COMMENTARY

辞書

若者の憧れだった海軍

【Keyword】海軍兵学校

日露戦争中の1905年5月、世界3位の規模を誇ったロシア海軍を日本海海戦で破った海軍は、イギリス海軍、アメリカ海軍とならんで「世界三大海軍」と称されるようになり、その後はアメリカ海軍を仮想敵《かそうてき》として軍備を整えるようになりました。太平洋戦争初頭に行われた真珠湾攻撃は、奇襲攻撃でアメリカの空母を沈めたあと、西太平洋での艦隊決戦に持ち込んで一挙にアメリカ海軍を打ち破るという戦略の中で行われたものです。

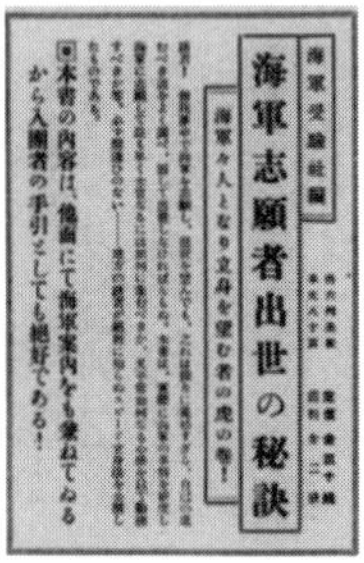

海軍は就職先としても人気だったため、海軍兵学校を志願する人は猛勉強した

戦艦大和《せんかんやまと》や零戦《れいせん》など科学技術の粋を集めた海軍は、徴兵を主とする陸軍と異なり、若くて物覚えがよい志願兵の募集に力を入れていました。そのため経済的な理由から進学できない青少年にとっては、努力と能力とによってキャリアを積むことができる人気の就職先と映っていたようです。

戦前・戦中は大半の男性が初等教育を終えた12歳か14歳で社会に出ざるをえず、また、20歳になると徴兵検査を受けなければならなかったので、どうせ軍隊に入るのであれば早く海軍に入って技術を身につけたいなどの思いもあったと伝えられます。よって、志願の競争率は高く、参考書や問題集も出版されており、1931年の競争率は水兵約5.8倍、航空兵約43倍でした。

林さんの話に登場した海軍兵学校は、海軍の指揮官となる将校を養成する学校で、おおむね16歳で入学し、20歳で海軍少尉に任官するのは陸軍士官学校（Episode03参照）と同じです。海軍省とともに築地《つきじ》に置かれた兵学校は、1888年に広島県の江田島に移り、以降「江田島」が兵学校の代名詞となりました。イギリス海軍のダートマス、アメリカ海軍のアナポリスとならんで「世界三大兵学校」と称えられた兵学校は、現在、海上自衛隊幹部候補生学校として当時の姿を残しています。

海上自衛隊幹部候補生学校（旧海軍兵学校生徒館）。

Episode

05

Eiko
Hiruma

薬剤師を目指して勉強に励み父とともに薬局を守り抜いた女性の物語

比留間榮子

ひるま・えいこ

1923年生まれ／終戦時22歳

東京都豊島《としま》区に生まれ、薬剤師の父のもとで育つ。東京女子薬学専門学校（現在の明治薬科大）卒業後、ヒルマ薬局の2代目として働き始める。空襲で薬局が焼失したため豊島区で薬局を再開した。薬剤師歴は76年。95歳のとき、ギネス記録「最高齢の現役薬剤師」に認定。現在、孫で薬剤師の康二郎さんとともに板橋区にあるヒルマ薬局小豆沢《あずさわ》店で働いている。

五・一五事件、二・二六事件と、不安定だった社会情勢

私は1923年、東京都豊島区の生まれです。生まれる2カ月前の9月1日に関東大震災がありました。周りの人たちの話を聞く限り、当時は大変だったみたい。実家の近くには巣鴨《すがも》刑務所があって、周囲をレンガの塀で取り囲んでいたのですが、震災でだいぶ崩れたと聞いています。頑強《がんきょう》に作ってあるはずの刑務所のレンガ塀が崩れるなんて、どれほどの大きな地震だったか、想像できますね。

1932年、9歳のときには、海軍青年将校らによるクーデター「五・一五事件」がありました。幼かったのであまり覚えていないけれど、昔は、大臣なんてすごく偉い人という認識ですし、テレビがない時代ですから顔を見たこともありません。だから、犬養《いぬかい》毅《つよし》首相が若い将校に殺されたと聞いて、怖かったですよ。

その後、1936年には陸軍青年将校らによるクーデター「二・二六事件」がありました。

私はそのとき12歳で、春からの高等女学校の入学準備をしたころでした。珍しく大きなぼた雪の降った日だったので、よく覚えています。二・二六事件は関わった人数も多く、首相官邸《しゅしょうかんてい》や大臣の私邸《していい》、そして複数の新聞社が同時に襲撃《しゅうげき》されたこともあって、「流れ弾が当たるかもしれないから家から出るな」「壁やたんすなど、ものがあるところの陰に入るように」とラジオ放送がありました。学校は休みになったし、外にも出られないので、一日中ラジオ放送を聴いていました。あのころは、こういった事件が順繰《じゅんぐ》り順繰り起こったんです。

二・二六事件のあと、陸軍の政治的発言が強まった

戦争が本格化する中通い続けた薬学専門学校

不安定な社会状況を経て、どんどん戦争も本格化しました。欲しいものも簡単には手に入らなくて、大変な時代でしたね、隣近所、お友達、みんな同じように手を繋いでやっていかなく

ちゃならないんだもの。嫌だなんて勝手なことを言ったら、食べるものも分けてもらえない。買いに行くといっても、お店なんてもうやっていないから、配給されたものを隣近所から分けてもらっていたからね。それだって上から「今日は何が配給される」って知らせが来るだけだから、なにが買えるか誰もわからないのよ。近所の5、6軒くらいで1組になって、配給のお当番を1カ月交代でやっていました。1軒に3、4人家族がいるから、ひと組20人くらいになりますね。お米なんて全然なくて、豆や麦の粉のようなものばかり。それでも何がきても「ありがとうございます」って頭を下げて、「嫌だわ食べられないわ」なんていう人はいないですもの。

私の父は薬剤師をしていて、池袋に薬局を構えていました。昔の薬局は、医者にかかるほどでない人、病院に行く時間がない人が気軽に薬を処方してもらっていたんです。私は父の働く姿を見ていて、素敵な仕事だと思ったのでしょう。小学校、高等女学校を卒業したあと、1941年、18歳で東京女子薬学専門学校に行きました。

当時、多くの女の人は、高等女学校を卒業したあと、お茶やお花を習って花嫁修業をしてから結婚していったんじゃないかな。あのころは女の人のお勤め先はほとんどなかったから。戦争が激しくなったら軍需工場《ぐんじゅこうじょう》に行ったり、あとは「○○さんは慰安婦《いあんふ》になって香港《ホンコン》のほうへ行った」といった話を、当時はよく聞きました。

うちは、父も母も「自分の好きなようにやりなさい」という感じでしたね。あんまり記憶にないんだけど、「薬学に進学したい」と言ったら「そうか」ってなったのかな。

専門学校では、1学年に1クラスしかなくて、全校で学生は100人くらい。樺太《からふと》から来た人や、台湾からも7、8人来ていて、アメリカ国籍を持っていた日系人もいましたよ。学校では、検体といって化学物質の実験をする授業があったのですが、ここでも物資不足が……。最初は2人に1つずつ実験のお薬をくれたのに、そのうち4人に1つしか渡されなくなって、メインの2人が実験して、あとの2人はうしろで確認するだけなど、ずいぶん不便でしたね。

学校を卒業して薬剤師になったのが1944年。一旦製薬会社に就職したあと、いとこと結婚しました。少し年は離れていたけれど、いとこの中で一番気が合ったのね。主人は薬剤師でもあったけど、陸軍の将校でもありました。召集令状を受けて北海道の根室《ねむろ》に行って、そのまま終戦になった。千島列島なんかにも行っていたみたいだから、そのまま島にいたらソ連に連れていかれて、帰れなかったんじゃないかしら。

その後、父の薬局を手伝うようになったんですが、患者さんはもうほとんど来ませんでした。それで翌年3月8日に、私と3人の妹たちは、父方の親戚がいる長野県の上田市に疎開したんです。空襲が激しくなってきたので、母や祖母の嫁入り道具の茶だんすといった大事なものをだいぶ送ってもらいました。

疎開先から見た東京大空襲

1945年3月10日の夜、雲ひとつない空の向こうが真っ赤だったのをよく覚えています。東京から長野は遠いですから、もちろんなんの音も聞こえない。それでも空が赤く燃えているのだけは見える。何があったんだろうと不思議でした。あとから知ったのは、東京大空襲で

10万人もの人が亡くなったということ。

長野は山間にありますから、大きな畑や田んぼは作れなくて、みんな自分の家族で食べる分だけを作って生活していました。疎開先の親戚は野菜を分けてくれたけれど、ずっとそういうわけにはいかないから、私もすぐに農作業をするようになったんです。でも今までそんなことをしたことがないでしょう。難しくてね、最初は大麦と小麦の穂の違いもわかりませんでした。

お金もあまり重視されなくて、基本は物々交換です。サッカリンという今でいう人工甘味料があるんだけど、お砂糖やあんこにちょっぴり入れると、甘味が強くなるの。薬局で売っていたものをお百姓さんがお米1升（約1・5キログラム）とか2升と交換してくれるんです。

4月13日に両親が残っていた東京・豊島区も大きな空襲で焼け、長野に避難してきました。ひどい格好で突然来たのでびっくりしました。度重なる空襲で親子が生き別れて、そのままになった人もいるんじゃないかしら。そう思うと、私は幸せだったかなと思います。

玉音放送はよく覚えていないけれど、聴いていないいんじゃないかしら。それから1年くらい、両親や妹たちと上田で過ごしました。長野にも天皇陛下や大本営の防空壕を作るなんて噂はあったんですけどね、空襲もなくのどかなところでしたから、戦争による恐ろしい体験は全然していないんです。

再び東京へ。戦後実現した薬剤師の夢

1946年に池袋に戻ってきたときに、すべてがまっさらになっていて驚きました。駅の周りには闇市や何かがあったけれど、家はまだ立っていなかったと思います。

東京に戻ってから、父親とともにまた薬局を始めました。今、池袋のサンシャインシティが立っているところは、昔は東京拘置所《こうちしょ》といって、戦犯の人たちが収容されていたんです。前述した、関東大震災でレンガが崩れ落ちた巣鴨刑務所が拘置所に変わったのね。

終戦後の東京拘置所。多くの戦犯が収容された

中に囚人を診る診療所《しんりょうじょ》があって、私はよくお薬を届けに行きましたよ。中へ入ると、囚人が2人1組で手錠《てじょう》をはめられて、廊下を歩いている。監視のついている中で内職をしているところも見ました。悪いことをした人は怖い顔をしていると思いがちだけど、あんなにいい顔をしている人が、どんなに悪いことをしたのかと不思議でした。あの人たちは戦争犯罪人として殺されてしまったのかもしれません。

もう戦争はね、考えただけでもぞっとする。終戦になって戦争はもうやらないと思ってたら、他の国ではまだまだ戦争してるじゃない？　そんなことしてていいのかしら、本当に大変よ、外へ出ただけで、下手すれば殺されちゃうんです。戦争したっていいことひとつもないですよ。

戦争末期は日本中が穴だらけ？

みなさんのお話には、「防空壕《ぼうくうごう》」（空襲のときに避難するための地下壕）がよく出てきます。戦争末期には、日本中で穴が掘られていたのです。

比留間さんがお話しくださった「天皇陛下や大本営の防空壕」は、実際に建設されていて、見学に入ることができます。長野市松代町《まつしろまち》の松代象山《ぞうざん》地《ち》下《か》壕《ごう》です。舞鶴山、皆神山《みなかみやま》、象山の地下に、碁盤の目のように掘られています。その全長は、なんと10キロメートル。第二次世界大戦の末期、軍部が本土決戦の最後の拠点として、大本営や政府各省などをここに移そうとしていたそうです。建設費は、当時の貨幣価値で換算すると1～2億円で、掘削《くっさく》にあたっては日本人だけでなく朝鮮の人たちも駆り出されていたようです。

また、慶應義塾大学の日吉キャンパス内にも、海軍の地下壕が残っています。連合艦隊司令部として使用されたそうです。

佐世保市にある無窮洞《むきゅうどう》は、長崎の原爆被害者が収容された地下壕で、現在も中を見学することができます。こちらは国民学校の教員と生徒が掘ったとのこと。内部には装飾性のある教壇を備えた教室や書類室、台所、トイレなどもあり、その大きさに驚かされました。

東京都新宿区に大本営地下壕、千葉県館山《たてやま》市に赤山《あかやま》地下壕、神奈川県横須賀《よこすか》市に貝山《かいやま》地下壕、沖縄県豊見城《とみぐすく》市に旧海軍司令部壕があり、どれも見学できます。

時に人々を守る防空壕となることもあれば、作戦を練る司令部となることもあった地下壕。みなさんにはどのような場所に映るのでしょうか。

原爆被災者が運ばれ、救護の場としても使われた無窮洞（著者撮影）

戦時下の学生生活

【Keyword】高等女学校

現在の学校制度は6-3-3-4という言葉で表されるように、小学校から大学まで公立私立に関わらず一部を除いて学校の修業期間は同じですが、終戦までの日本では中学校から先にさまざまな種類の学校があり、修業期間も学校ごとに異なっていました。

そして、日中戦争が最も拡大し、アメリカとの戦争が避けられなくなってきた1941年4月には、明治時代からおよそ70年にわたり親しまれてきた小学校が「国民学校」に変わりました。

国民学校が生まれた背景には、1938年から始まった国家総動員《こっかそうどういん》体制があります。少年少女を戦時下にふさわしい「少国民《しょうこくみん》」として教育するために、教科や授業の内容が見直され、学校行事や団体訓練が重視されるようになりました。国民学校は終戦後の1947年まで存続しましたが、進駐軍（Episode15参照）が行った教育改革によって小学校に戻りました。終戦までの学校制度は複雑ですので表にまとめました。現在の学校制度とどのように違うのか見比べてください。

比留間さんの話に登場する高等女学校とは、12～17歳の女子が学ぶ5年制（1943年から4年に短縮）の中等教育機関で、現在の中学校と高等学校に相当します。女性の社会進出や大学進学が制限されていた明治時代から終戦まで、高等女学校では良妻賢母《りょうさいけんぼ》を育てるための教育が行われていました。終戦直後の1946年には全国で国立3校、公立1011校、私立399校の合計1413校があり、生徒数は94万8077人であったといわれます。

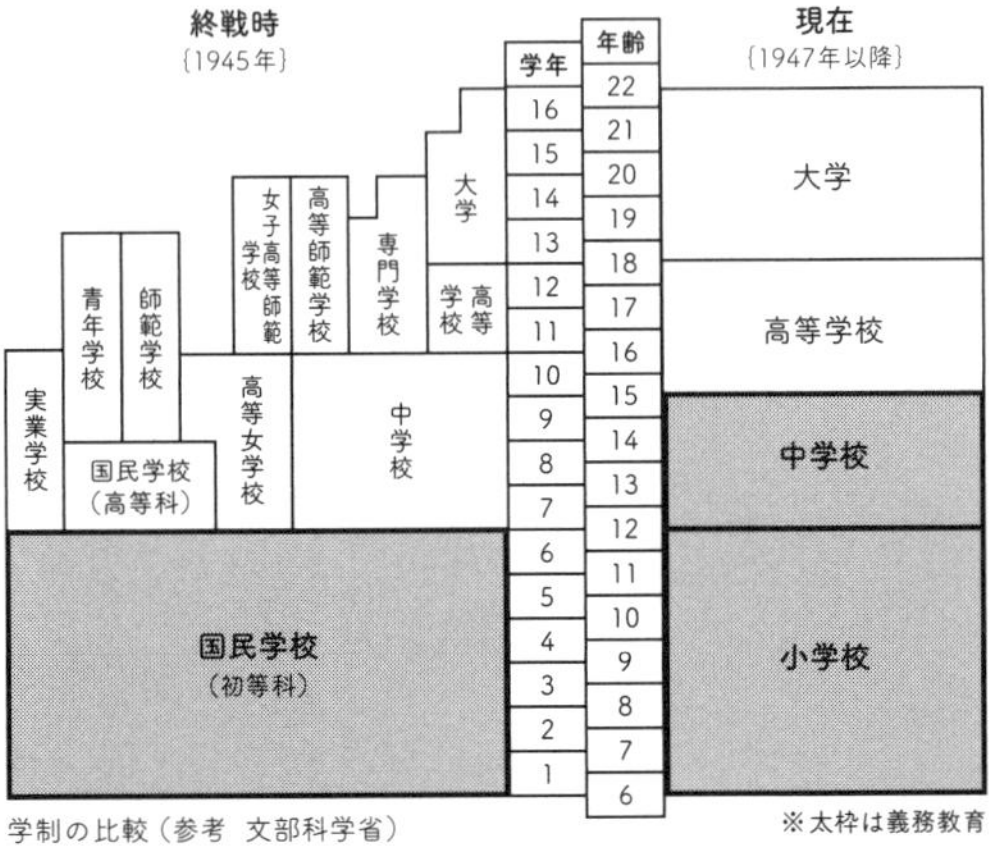

学制の比較（参考　文部科学省）

※太枠は義務教育

Episode

06

Tomiko Shimo

大阪大空襲の日にも少女歌劇の観劇へ淡路島で終戦を迎えた少女の物語

霜 登美子

しも・とみこ

1931年生まれ／終戦時14歳

大阪市十三《じゅうそう》で育ち、1945年3月13日に大阪大空襲を経験。その後、5月に大阪府池田市の石橋へ転出し、兵庫県淡路島に渡って終戦を迎える。数年を淡路島で過ごしたのち、同県の園田へ。和文タイプライターを習い、大阪府庁で定年まで勤め上げた。

松竹少女歌劇団の公演後に大阪大空襲

私は、松竹少女歌劇団が大好きだったんです。もう〝男装《だんそう》の麗人《れいじん》〟にウットリでね、夢の世界でしょう？　特に好きだったのは勝浦千浪《かつうらちなみ》さん。芦原千津子《あしはらちづこ》さんという娘役もいたわね。

新聞か何かを見てチケットを買ったのか、大阪劇場に何度も見に行ったんですよ。それから舞台の場所が松竹座に移りました。当時から宝塚歌劇団の人気には負けますよ。でも私はね、大阪劇場も松竹座も地下鉄で１本だったから、松竹少女歌劇団のほうがすごく身近でね。

今でもはっきりと覚えているんですが、１９４５年3月13日に、出し物は覚えていないけれど、舞台が松竹座であったんです。その前の年に解散していたはずだったんだけど、舞台があると聞いてお友達と見に行って、楽屋口からお目当ての役者さんが出てくるのを待っていたんですよ。会えたのかな……。覚えていないけれど、会えたんじゃないかしら。何人も楽屋口で待っていて、「さよなら」って言って、劇団の方を見送るんです。今でも宝塚歌劇団のファンの方が、〝お見送り〟をするでしょう？　あれと同じです。

自分の好きな男装の麗人に会いに行って、それはもう機嫌よく帰ってきました。そうしたら、その晩に空襲があったんです。大阪大空襲でした。だから私の中では、空襲と松竹少女歌劇団が結びついているんですよ。おそらく、私が見た日が、最後の舞台だったんじゃないかと思います。劇場のあった心斎橋《しんさいばし》のあたりは焼け野原になってしまいましたから。

両親は自宅1階で文房具のお店をやっていました。弟が2人いて、合わせて5人家族。観劇から帰ってきて食事し、寝る準備をしていた夜でした。心斎橋の南を中心にして空襲があったんです。自宅は淀川越しの十三（心斎橋から見て北西部に位置）で無事だったんです。

家の目の前に「産業道路」と呼ばれていた広い道路があって、その脇に高さ2メートルくらいの街路樹が植えてあったんです。その下に防空壕があってね。その日も、そこへ逃げたのですが、「ここら辺は大丈夫ちがうかなあ」という安心感と物見高さで、ずっと爆撃を見ていました。まさに対岸の火事という感じで、こう言っては不謹慎だけど、幼心には暗闇にキラキラと光が輝いて、花火のようですごくキレイだった。

自宅から淀川を渡った側に砂糖工場がありました。空襲の翌日、友達と「砂糖が焼けただろうから、見に行こう」と言って、見に行ったんです。当時は大豆のかすのようなものをごはんに入れて食べていたくらい、食べ物がなかったから、甘いものには飢えていたんですよ。ところが橋を渡ったら景色が一変して、一面焼け野原。どこもまる焦げで、工場のかけらもないの。でも誰かが「ここらへんやで」と言うので、それらしいものを見つけて舐《な》めてみたけれど、苦くてね。とても食べられたものじゃなかった。

空襲前に、父が大阪北部の石橋（現・池田市、豊中市）に家を買っていて、土地があったから畑で野菜も作れるし、空襲後にそこへ引っ越しました。松林があって、ドジョウすくいなんかもできるような小川が流れていて、小高い山の向こ

少女たちの憧れだった松竹少女歌劇団のレビュー

うに箕面山《みのおやま》が見えるんです。そこでの生活は子ども心にすごく楽しかった。

都会暮らしから田舎暮らしになった苦労

その後、5月に父が兵庫県の淡路島に新たに買った家に引っ越しました。自家用車が一般的じゃないころだから、大八車《だいはちぐるま》に家財を積んで、照りつける陽の中、産業道路を歩きました。当時は淡路島に行くのに「淡路渡し」という船しかなくて、神戸からだったか明石《あかし》からだったか、家族で乗り込んだんです。

新しい家は淡路島の山田村というところにありました。観音さんという有名なお宮があって、その谷越しにうちが見えるんです。近くに大きな桜の木があって、花が咲くころは本当にきれいなの。

淡路島では、勤労動員で田植えをしたり、遠くの山にさつまいもを植えるなど、初めてのことをやらされたんです。せっせとわらを打って柔らかくして、草履《ぞうり》を作ってそれを履《は》いて学校に行きました。なんだかしんどかった、つらかったわあ。やっぱり都会に住んでたもんが田舎仕事するって大変よ。

ある日、田んぼの中で草むしりしていた時に空襲のサイレンが鳴ったんです。「空襲やでえ」なんてのん気に言っていたら、バババババー！っと機関銃の音がしました、もうびっくりしてしまって、逃げ惑いました。田んぼなんて隠れるところがないから、畦《あぜ》のふちにへばりついていました。わら草履が田んぼの中で脱げ、はだしのまま。田んぼを攻撃しても意味がないはずだけれど、アメリカ兵にしてみたら、「子どもがいるからちょっと撃ってやれ」みたいな軽い気持ちだったのでしょうね。父が重い腰を上げて疎開をしたら、そこで恐ろしい目に遭《あ》ってしまったんですよ。

玉音放送は、自宅で聴きました。「お昼に放送があるから聴くように」と大人たちに言われていたんです。ラジオはガアガアいう音だったけど、戦争終結だということはわかりました。だって、広島や長崎にすごい爆弾が落ちたと聞いていたからね。でも放送の内容は戦後何度も耳にしたので、最初に玉音放送を聴いたときの印象はよく覚えていないんです。

食料のことは親に任せっきりだったからわからないのだけど、戦後にアメリカ軍からの配給で白い小麦粉をもらいました。真っ白で、「メリケン粉ってこんなに白いの?」と驚きました。メリケン粉っていうのは、アメリカから輸入された小麦粉のことで、〝アメリカン〟がなまってメリケンって言ってたの。それですいとんを作ったんですよ。当時の日本の小麦粉ってあまり白くなかったから、とても感動したことを覚えています。

近所の夫婦げんかに巻き込まれて戦争よりひどい目に

淡路島には2、3年いたと思います。いつごろだったか忘れましたが、大阪に戻ってきて、その後は兵庫県尼崎市の園田に引っ越しました。父がまた文房具屋さんを始めたんです。

家は市場の中にあって、道路を挟んで目の前にはお菓子屋さんがありました。ある日、そのお菓子屋さんが夫婦げんかをしたんですよ。旦那さんは尼崎の消防署に勤めていたんですが、お酒を飲むと少し乱暴になる人だったのね。それで母が見かねて、奥さんに「今日はうちで休んで行きなさい」って言って、泊めたことがあったんです。

そうしたら夜中にボンッて音がして……驚いて、起き上がって窓から外をのぞいたら、目の前が真っ赤に燃えてるんです。思わず「奥さん、奥さん！　大変やあ。うちが燃えてるみたいやで！」って、叩き起こしました。

市場は建物が密集していて、道路も狭くて、火が出るとそこが煙突みたいに煙の通り道になるんですよ。結局その火災が原因で、市場全体が丸焼けになってしまったんです。どうやら夫婦げんかして出かけていった旦那さんが、家に帰ったら誰もいなかったので腹が立って火をつけたらしいんですよ。消防士なのに！

戦争では何も被害がなかったのに、戦後何年も経って火事に遭《あ》って家が焼けちゃったの。もうね、ひどい話でしょう？

それで私も働きに出ることになり、天王寺区の夕陽丘にあった職業訓練校に通い始めたんです。そこでは和文タイプライターの使い方を習いました。それで職業安定所に「タイピングの仕事はないですか？」って相談に行ったんですが、鼻であしらわれてね。悔しくてタイプの先生に「こんな目に遭《あ》いました」って言ったら、「それならここに行ってみませんか」って紹介されたのが、大阪府庁の建築部でした。当初は臨時採用だったんですが、そのまま定年まで、府庁でお勤めをしました。振り返るとね、いつも、要所要所で人に助けてもらっているなと感じるんですよ。

大好きだった松竹少女歌劇団は、大空襲前に観たっきり。だけどね、ちょっと前は韓流に熱を上げていて、本を買ったり、ビデオやＤＶＤを買ったり、熱心に活動していたのよ。心斎橋にシネマートっていう韓国映画をよく上映する映画館があって、よく観に行きましたね。パク・シフさんやチャン・グンソクさんが好き。みんなハンサムなのよ。

松竹少女歌劇団にもブロマイドやグッズがあったのかしらねえ。好きだったころにそれらがあったら、ほかの何を我慢しても、絶対買っていたと思うわ。

Writer's note

選択肢を持つ生き方とは

仕事に趣味にと人生を満喫されてきた霜さん。一度も結婚はしなかったそうです。

日本では戦時中は「産めよ増やせよ」で、戦後は「結婚は女の幸せ」などと言われてきました。失礼ながら「当時としてはとても珍しかったのではないですか?」と尋ねたところ、「そんなことないわ。だって戦争で男性が少なかったでしょう?」と言います。かといって結婚“できなかった”かというと、そういうわけではなく、“必要ではなかった”ということなのだろうなと感じました。

何度かお見合いを持ちかけられたそうですが、「駅に私を見に来はったらしいのよ。そうしたら、私を見て『キツそうな人や』って。そんなもの、ニコニコ笑って歩きませんわ。腹が立ってしもうて、そんなのに相手にしてもらわんでええって断ったんです」と笑っていました。結婚をしてもしなくても、楽しく働いて、幸せに生活できればそれでいいんですよね。

そんな霜さんが大好きだった松竹少女歌劇団、略してSKD。なんだか「48」なんて、数字をつけたくなります。松竹少女歌劇団は東京と大阪にそれぞれあり、大阪は大阪松竹少女歌劇団(OSSK)と呼ばれていたそうです。1938年に、東京の松竹少女歌劇団に統合されたようです。

大阪大空襲があったのは1945年3月13日の深夜のことです。その日の公演について調べてみましたが、情報を見つけることができませんでした。どこで、どんな演目だったのか、誰が出演していたのかなど、まったくわからないのです。活動の拠点が東京と大阪だったこともあり、資料などが焼けてしまったのが原因のようです。

いつまでも少女のような霜さん。男装の麗人がいかに素敵か、霜さんとキャーキャー語り合いました。いくつ歳が違っていても、好みの合う人はいるものです。Episode14の草間さんは松本潤さん(ジャニーズ事務所)の大ファン。年代は違えど、共通の趣味があれば会話はつきないのだなと、改めて思いました。

松竹少女歌劇団のラインダンス

COMMENTARY

子どもたちの日常

【Keyword】松竹少女歌劇団

戦時下の子どもたちの娯楽は、今と比べてかなりシンプルでした。当時の代表的な遊びは、男の子はメンコや凧揚げ、こま回し、かくれんぼ、昆虫とり、水鉄砲、缶蹴り、チャンバラ、女の子はおはじきや縄跳び、羽根つき、お手玉、ままごと、けんけん飛び、あやとりなどです。これらの遊びは身の回りのものを工夫して、日常生活の延長として行われており、今と違って商品としての玩具を買って遊ぶ機会はとても少なかったようです。そのため玩具店で買うほかないメンコとおはじきは、当時の子どもたちにとって垂涎《すいぜん》の的《まと》でした。

そしてもう一つの娯楽は、紙芝居と雑誌です。自転車に紙芝居と水飴などの駄菓子を積んだおじさんが公園などで拍子木《ひょうしぎ》を鳴らすと、大勢の子どもたちが集まりました。みなさんも知っている「ゲゲゲの鬼太郎」は当時の紙芝居から生まれた作品です。代表的な児童雑誌として「少年倶楽部」と「少女倶楽部」があり、冒険や良妻賢母をテーマとした小説や漫画が人気を博しました。しかし、戦争到来は子どもたちの娯楽にも影響を与えます。メンコの絵柄や漫画の題材などを軍事に関するものが占めるようになり、雑誌は紙不足のため薄く、発売もまばらになりました。また、太平洋戦争開戦後には、グーを軍艦、チョキを沈没、パーをハワイで真珠湾攻撃を連想させる「軍艦じゃんけん」が流行しました。

霜さんの話に登場した松竹少女歌劇団とは、レビューやミュージカルなどの音楽・芝居・ダンスを中心とする「少女歌劇」を演じる劇団です。しかし、戦局が悪化してきた1944年3月には、本拠地である東京・浅草の国際劇場が風船爆弾（Episode07参照）の工場に転用され、松竹少女歌劇団は「松竹芸能本部女子挺身隊《ていしんたい》」と名を改め、各地で慰問《いもん》公演を行うことになります。他方の宝塚歌劇団も1944年8月に宝塚大劇場が海軍に接収《せっしゅう》され、予科練（はじめに参照）の教育に利用された歴史をもっています。

Episode

07

Hisako
Maeda

風船爆弾工場で出会った初恋の人と戦後再会を果たした少女の物語

前田久子（仮名）

まえだ・ひさこ

1927年生まれ／終戦時17歳

横浜市西区で生まれ、ミッション系の女学校に通っている最中に、学徒勤労動員のため、神奈川県川崎市にあった東芝工場に働きに行く。戦後は出版社に就職。学徒勤労動員の際に、東芝工場で知り合った男性と結婚した。

ミッション系の女学校で英語を学んだ中学生時代

私が女学校の2年生（13歳）だったころ、母が腎臓の病気で入院していました。病室で新聞を見ながら、よく「これからどうなるのかね」なんて話をしていたんです。1941年の12月8日——あの日は定期試験の最中でした。朝、父からは「（お母さんは）もうダメかもしれないから学校は休め」って言われていたんですが、「試験だから」と私は学校に向かったんです。母が危篤だと知らされたのは、2時間目が終わったときでした。「すぐに帰りなさい」と言われて病院に向かったんですが、母はその晩、亡くなったんです。ちょうど太平洋戦争が始まった日だったから、クラスメートもみんな、そのことをよく覚えていてくれたんですよ。

私の父は設計士をしていて、横浜市西区の自宅で設計事務所を開いていました。妹は当時、小学校5年生。開戦後もしばらくは家にお手伝いさんがいたんですが、戦争が激しくなるにつれて「怖いから田舎へ帰りたい」っておっしゃってね。お手伝いさんがいなくなってからは、妹のお弁当を作ったりして、私が母親代わりをするようになりました。

私が通っていた学校はミッション系の女学校で、英語の先生はみんなアメリカ人でした。だから戦争が始まると、その先生たちも全員国に帰ってしまってね。まわりの様子もだんだんと変わっていきました。

親には内緒だった東芝工場での仕事

1944年、4年生になると、戸塚の工場に働きに行くことになりました。学徒勤労動員《がくときんろうどういん》といって、人手不足を補うために、中等学校以上の学生たちが軍が使うものや食品なんかの製造を手伝うことになったんです。私はそこで、高射砲《こうしゃほう》の弾を作ってたんですよ。高射砲というのは、航空機を攻撃するために作られた火砲のこと。本当に、怖かったですね。お茶の缶くらいの入れ物に鉛筆くらいの火薬を1本1本詰めていく作業だったのだけれど、「隙間があると不発になるから、きっちり入れろ」と強く言われてねえ……。火薬を1本入れるたびに、上からカナヅチで叩くの。そうすると黒い粉が散って、白いマスクが真っ黒になっちゃってね。お友達のひとりが作業を始めた3日目くらいからずっと休んでいたんだけど、あとで聞いた話では、マスクについた粉が肺に入ってしまって、病気になって亡くなったっていうんです。ほかの女学校の生徒の中には、作っていた爆弾が破裂して片足を切断した人や亡くなった人もいたという話も聞きました。10代半ばの女の子たちが命がけで作業をする。そんな時代だったんです。

そうそう、あるとき「家にミシンがある人はいないか」と聞かれて、素直に手を挙げてしまってね……。ティーバッグみたいな袋に火薬の粉を詰めて、それをミシンで縫っていくっていう仕事を割り当てられてしまったんです。ただ、うちで使っていたのは足踏みミシンでね。工場のミシンは電気ミシンだったから、さらに怖い思いをすることになってしまったの。電気ミシンなんて今でこそ当たり前だけれど、当時は珍しかったから、慣れないミシンで手を縫ってしまわないか不安で、手を挙げたことを本当に後悔しました。

5年生に進級し、1944年の5月になると、今度は川崎にある東芝の工場で働くことになりました。あとでわかったことですが、そこはのちに大きなニュースとなる、風船爆弾を作っていた工場でした。朝、桜木町《さくらぎちょう》駅に集合すると、みんなで電車に乗って川崎駅まで行って、そこから京急大師線《けいきゅうだいしせん》に乗り換えてね。ひと駅先の港町駅で降りてすぐのところに、東芝の富士見町工場があったんです。改札を出たら300人くらいで隊列を組んで、歩いて通っていました。「勝利～の日～ま～で～♪」なんて、当時流行っていた軍歌を歌いながらね。

別の女学校の子たちは、同じ駅で降りると反対に向かって歩いていくので、「何をやっているのかな」と思っていたんですが、彼女たちはキャラメル工場の手伝いをしていたみたいなんです。それがもう、うらやましくて。いつも、「私たちだってそちらに行きたいのに」って友達と話していましたね。

私たちの女学校では、1、2年生は学校に残って勉強をして、3、4年生は秘密の工場で作業、5年生は事務局でお手伝いをしていました。大きな工場だったから、違う学年の子たちが何をさせられていたのかはわからなかったんですが、卒業してから聞いたら、「私たちははんだ付けなんか簡単にできるようになったわ」なんて言っていたわね。そもそも私たちにはどこで働くかなんて選択肢なんてなかったのだけれど、「この工場で働いていることは、親にも言っちゃいけない」って口止めをされていて、生徒同士でも自分たちがどんな仕事をしているのかはお互いに話せなかったんです。

そうした中、私が配属されたのは光電気課《ひかりでんきか》というところです。大きな部屋の中に、航空機課とかいろんな課が並んでいて、それぞれに3人くらいずつ生徒が配属されていました。そこでの私の仕事は、印刷するために原紙《げんし》を切るというもの。そんなことをするのは初めてでしたよ。それからよく、手紙の代筆も頼まれましたし、光電気課の課長がドイツ語で書かれた電気関係の資料を翻訳して、私が原稿に書き直す、なんてこともしていました。ときにはその原稿を、有楽町《ゆうらくちょう》にあった東芝の本社まで届けに行ったりもしてね。いつ空襲があるかわからない危険な時期ではあったのだけど、そんな場所に行くのは初めてだったから、楽しかったわね。

私は1945年3月に卒業する学年でしたが、同級生はみんな、そのまま工場に通い続けることになりました。私は妹の母親代わりをしていたため「家にいていい」と言われて。卒業証書をもらって、4月からは家の手伝いをするようになったんです。

目に焼きついてしまった横浜空襲の光景

その年の5月29日、横浜で大空襲がありました。御所山《ごしょやま》という高台の途中にあった実家にも、バラバラと焼夷弾《しょういだん》が降ってきて、2階が燃え始めたんです。当時、消火のためのバケツリレーを練習していたので、とっさに火を消そうとしたんですが、父が「これはもう逃げたほうがいい」と真剣な顔で言ってね。坂を下りて50メートルくらい行ったところの、掃部山《かもんやま》の上り口までみんなで逃げました。低いところに逃げたおかげで、私たち家族は助かったんです。

実は、空襲から逃げるために、私たちとは逆に御所山に登ってきた人たちもたくさんいたんです。でもその人たちはみんな、焼け死んでしまったの。父がいなければ私も山に登っていたでしょうから、同じようになっていたかもしれません。

その日は小学校に避難して、一晩を過ごしました。ただ、その翌日、家に戻ると庭に掘ってあった防空壕の戸が開けられていて、中にしまっていたものがすっかり盗まれてしまっていてね。焼け跡にはお茶の缶くらいの焼夷弾の焼けガラが16発も刺さっていて、呆然としましたね。

実家に戻る途中、御所山を登っていくと、あちらこちらに燃えて倒れた黒い丸太のようなものが転がっていました。「木が燃えたんだね」って話をしていたら、近くにいたおじさんが「違うよ、みんな焼死体だよ」って言うんですよ。真っ黒で、骨だけになって。あのときの光景は、今でも忘れられないのよ。

家が焼けてしまったので、そこから私たちは住む場所を探さなければならなくなってね。父方の祖母が石川県にいて、それまでにも着物なんかを疎開させて送ってあったので、自分たちもそちらに引っ越すことになったんです。「桜木町まで行ったら電車が走っている」と聞いて向かったんだけど、あまりに混んでいてなかなか乗れなくて。窓から押し込んでもらって、無理矢理乗り込んでいきました。

玉音放送と「出征」の知らせをくれた彼

石川県の金沢に移住して1～2カ月が経ったころ、私と父は、東京の巣鴨《すがも》に移ることになりました。まだ幼かった妹は祖母のところに残して、叔母夫婦が巣鴨で商売をしていたので、手伝うことになったんです。叔父が近くの焼け野原に小屋を建てて1人で住んでいたので、2人でそこに住まわせてもらうことにしました。8月15日の玉音放送を聴いたのは、それから間もなくのことです。

近所の質屋さんにお蔵があって、そこにラジオがあるから集まりなさい、と声をかけられてね。ラジオでいよいよ天皇陛下のお話があるからって。私たちはみんなで、座ってそのお話を聴いたんです。聴きながら、「ああ、やっと空襲がなくなる、よかったな」と心から思いました。空襲があると、いつどうなるかわからないですから……これで怖い思いをしなくて済むんだなと思うと、ホッとしたんです。

ただ、ひとつだけまだ気がかりなことがありました。実はその数日前に、川崎の工場で一緒に働いていた男性から電話をもらっていたんです。彼は1歳年上の東京の蒲田《かまた》の出身の方で、工場の同じ階で作業はしていたけれど、それまでほとんどお話をしたことがなかった方でした。でも、石川の祖母の家にも連絡をしたらしく、私が巣鴨にいると聞いて、わざわざそちらにまで電話をかけてきてくれたんです。出征《しゅっせい》が決まったことを私に伝えたかったらしくてね……。

その連絡を受けて、蒲田まで見送りに行ったのが8月10日ごろのこと。まさかその数日後に終戦するなんて、思いもしなくてね。出征があと少し遅かったら……そう思うと、胸が苦しくなりました。

ところが4カ月後の12月、終戦後も巣鴨で生活を続けていた私のもとに、その彼が突然訪ねてきたんです。それまで消息はわからないままだったので、私は「亡くなったんじゃないか」と思っていました。だからあのときは、本当に驚きましたよ。話を聞いたら、運がいい人で、4月の東京大空襲で蒲田が焼け野原になったときには多摩川の向こう（川崎）に働きに行っていたので助かって、8月18日に出撃する予定だったけれど、終戦になったので行かずに済んだ、って言うんです。

これはあとから聞いた話なんですが、出撃前に上官から「家族に手紙を書きなさい」と指示をされて、彼は私宛に手紙を書いたらしいんです。婚約なんてしていなかったのに、よ。手紙というけれど、遺書みたいなものですよね。本来ならお父さんかお母さん宛に書くものなのに、私の名前が書かれていたものだから、「これは誰だ?」って聞かれて「婚約者です」って言ったら、その場で破られちゃったんですって。

その後、私は東京の専門学校で英語を学んで、出版社に就職しました。そのころには彼とも2人で会うようになっていて、正式にプロポーズもしてくれたんです。出会ってから3年のことで、本当にうれしかったわね。

でもね、そのときになって初めて、私には親が決めた許嫁《いいなずけ》がいたことを聞かされたんですよ。それで父は、私たちの結婚を許してくれなかったんです。

私の許嫁だった方は、母のお友だちの息子さんでね。彼は船の乗組員をしていて、昔から船が横浜に着くたびにうちに遊びに来てくれて、母がご飯をご馳走したりしていた方でした。いつも2、3日滞在すると、また船に乗ってどこかに行ってしまう。私からしたら、たまに遊んでくれる「お兄さん」みたいな存在でした。私が女学校の4年生のときには、渡航先の台湾から桐のたんすを送ってきてくれたりもして……1943年だったから、デパートには何も売っていないころにですよ。今になって思えば、そのお兄さんはいずれ、私と結婚するつもりだったのでしょうね。すごく高級で、いい香りのする桐だんすでした。父は、その方が帰ってくるかもしれないと思って、私の結婚に反対したんです。

ようやく父が結婚を認めてくれるようになったのは、終戦から4年ほど経ってからでした。実は、彼は父がどんなに反対しても、諦めることなく待っていてくれて……。その姿を不憫《ふびん》に思った叔父が、許嫁だった方の消息を調べてくれたところ、徴用船に乗っていて戦死したことがわかったんです。

彼とはそれから37年、彼が60歳で亡くなるときまで連れ添いました。彼は東京の出身で、私は横浜の出身。もしも風船爆弾を作っていたあの東芝の工場に学徒勤労動員で行くことがなかったら、私たちは出会うことはなかったんだなと思うとね、私にとってあの工場でのことは、戦争のお手伝いをさせられていた悲しい思い出というよりも、夫と出会えた大切な思い出なんです。こんな話は娘にもしたことがないのだけど……彼と出会えて、私は本当に幸せだったわ。

Writer's note

戦争と、恋と、結婚

前田さんは終戦時に17歳。今でいえば、高校3年生の学年です。きっと女の子同士で恋バナをしている年ごろだったことでしょう。そう思って当時好きな人はいらっしゃらなかったのかと聞いてみたところ、なんと、戦争が結びつけた一大ロマンスを教えてくださいました。「工場で一緒に働いていた女の子たちの中に、ほかにも2人くらい、そこで出会った男性と結婚した人がいたわよ」とのこと。戦後すぐは、お見合い結婚が6割、恋愛結婚が2割ともいわれていた時代です。男女別々に教育を行っていた当時、工場のような作業場は貴重な出会いの場だったのかもしれません。

戦後、前田さんは出版社で働くようになり、出版する本の検閲を受けるために、マッカーサーのいる司令部に本を持っていく仕事をしていたそうです。前田さんはお母さまの着物を直してもらい、モンペ姿で仕事をしていたのですが、司令部にいる日系二世の女性たちは、艶やかな柄のワンピースだったり、ピンクのセーターだったりとおしゃれをしていて、とてもうらやましかったそうです。着替えなどろくに手に入らない時代です。おしゃれをしたい気持ちは、私たちと同じようにあったのですね。出版社では、自伝的小説『放浪記』などで知られる作家の林《はやし》 芙美子《ふみこ》、『地底の歌』をはじめ数々の小説を残した、同じく作家の平林《ひらばやし》たい子、社会主義運動の先駆者として知られる荒畑寒村《あらはたかんそん》などの著名人と一緒にお仕事をされたそうです。

以前、旅先のニュージーランドでアメリカ人の老夫婦と出会いました。私が日本から来たというと、彼らは嬉しそうにこう言ったのです。「私たちは1945年に東京の帝国ホテルで結婚式を挙げたのよ!」。戦争で日本へ来ていた夫と結婚するために女性は飛行機で日本へ来たのだとか。旅客機などない時代です。24時間以上かかったと聞いた気がします。「敗戦国で未発展の日本へ来るのは不安じゃなかったの?」と尋ねたら「アメリカ軍の支配下にあるとわかっていたので全然。結婚式では帝国ホテルのバルコニーから手を振って、眼下の大勢の人たちからお祝いされて、スターになったような気持ちだったわ」と嬉しそうでした。続けて彼らは、「1950年に朝鮮戦争があったじゃない? その時は……」なんて懐かしそうに話すのです。

年配の方たちのお話を聞くと、「歴史の教科書にのっているようなことを、この人たちは体験しているんだ!」と感動します。

COMMENTARY

学徒勤労動員

【Keyword】風船爆弾

日中戦争が本格化した1938年、国民の自由な仕事や生活を制限する国家総動員法が成立しました。これにより、太平洋戦争の終わりまで国民の生活よりも軍備を優先する戦時経済体制がつくられました。このような国力のすべてを戦争遂行に集中する体制のなかで、農村や工場の労働力不足を補うために学生・生徒（学徒）が動員されるようになったのが、「学徒勤労動員」です。

太平洋戦争終盤の1944年には、中等学校以上の学徒全員が軍需工場に動員されるようになり、それまで教室で鉛筆を持って勉強していた学徒は、鍬《くわ》やツルハシを持って飛行場や陣地を造るための土木工事を行ったり、工場で旋盤《せんばん》を操って銃弾や戦闘機の部品を作ったりするようになりました。終戦までに動員された学徒は約340万人に及び、原爆や空襲などでの死傷者は約3万人になりました。

前田さんの話に登場する「風船爆弾」は、日本軍が開発した秘密兵器で、1944年11月から5カ月間で約9300発が放たれ、そのうちジェット気流にのって太平洋を渡った約1000発がアメリカ本土に届きました。風船爆弾によるアメリカの被害は、6人が爆発で死亡したほかは、小規模な森林火災しかありませんでしたが、それまで本土を攻撃されたことのないアメリカに大きな心理的被害を与えたといわれています。

風船爆弾の心臓部である精密装置は川崎の東芝工場で技術者によって作られましたが、風船部分の製造には多くの女子学生が動員されました。風船を膨らませることができる大きな空間をもつ劇場や学校の体育館などに集められた女子学生は、冷たくヌルヌルするコンニャク糊で背丈ほどもある大きな和紙を貼り合わせて風船を作っていったそうです。

アメリカ・ネバダ州で発見された風船爆弾の残骸

Episode

08

Atsushi Miyagi

対岸の空襲を横目に潮干狩りたくましく生き抜いた少年の物語

PROFILE

宮城 淳

みやぎ・あつし

1931年生まれ／終戦時13歳

田園調布生まれ。麻布の中学校在学中に終戦を迎える。1952〜1964年、デビスカップ代表として活躍したテニスプレーヤー。1954年から全日本選手権のシングルス、ダブルスともに4回優勝。1955年全米オープンのダブルスで加《か》茂《も》公成《こうせい》と組み、優勝。ゼネラル物産勤務を経て1987年より早稲田大学人間科学部教授。日本テニス協会専務理事などを務める。2021年2月、がんのため死去。

何を言っているのかわからなかった玉音放送

終戦の日は、通っていた中学校の校庭にいました。

夏休みなのにどうして校庭にいたのか、いろんな仲間に聞いてもハッキリしないんだけど、朝から学校で授業を受けていたんです。それでお昼になって、「全員校庭に並べ」と言われてね。暑い日だったよ。アスファルトの校庭にみんな整列してさ。背筋を伸ばして話を聞いていました。天皇の放送とは聞いていたから、何か重大なことというのはわかっていた。それまで天皇の声なんて聞いたこともなかったからね。校庭ではラジオをマイクに通して放送されたんだけど、録音が悪いのかマイクが悪いのか、ピーピーガーガー言って、なんにも聞こえなかったわけ。それで「いったいこれなんじゃい」と思ったのを覚えているね。

放送が終わって教室に入ったら、担任の先生が悲憤慷慨《ひふんこうがい》して「日本は負けた」と。「仇討《あだう》ちをしなくちゃいかん」なんて言ってました。

でも僕は日本はもうそろそろ負けると思っていたから、終戦の放送じゃないかなとは思っていたんです。僕の姉のフィアンセが茨城県《いばらき》の霞ケ浦《かすみがうら》の航空隊にいた人で、海軍の兵隊さんだったんです。東京大学を出て、戦後は新聞記者になったから、知識のある人だったんだと思う。その人がときどきうちに遊びに来ていたの。それで終戦よりずっと前に、「もう日本は負けますよ」と言うわけです。そんなことを街のどこかで言ったら大変だけど、僕の家ならいいと思ったんだろうね。「もう、とても勝てるような状態じゃありません。早く負けたほうがいいんですよ」なんて言っていた。

それに僕自身が、終戦までにひどいこと、怖いことを何度か体験して、その日になったからね。

空襲の中を自転車で走り抜ける

僕は大田区《おおた》田園調布《でんえんちょうふ》に住んでいました。もともと宮城家は、浅草《あさくさ》の厩橋《うまやばし》のたもとに自宅があって、祖父母は洗い粉屋《こ》をやっていたんです。洗い粉って知ってる？ 今でいう石けんね。歌舞伎《かぶき》役者や芸者さんがお客さんでまあまあ繁盛《はんじょう》していたんだけど、外国の石けんが輸入されてきて、下火になってきたところに1923年の関東大震災が来て、焼けちゃった。父は家を継がずに、東芝のエンジニアだったんだけど、そのころ開発された田園調布に、東芝の社員がたくさん家を買ってね。あとから知ったんだけど、父は潜水艦《せんすいかん》か何かのモーターの巻き線を造る達人《たつじん》だったらしいんだ。

僕は6人きょうだいで、上に3人姉がいて、下に妹が2人いた。ほかに男の子が2人いたんだけど、あのころは3歳くらいになるまでにたくさんの子どもが肺炎になって死んでしまっていた時代。それで男は僕1人だけが残ったから、ちょっと甘やかされたんだろうね。そのころには珍しく幼稚園も行ったし、小学校は田園調布小学校に6年生まで通って、それから中学校へ。裕福とはいわないけれども、なんの不安もない生活をしていたんです。

太平洋戦争は1941年、僕が小学校4年の時に始まりました。初めの何年間かは、何もなかった。でも僕が戦争を実感したのは、1942年の4月。航空母艦《こうくうぼかん》から爆撃機《ばくげきき》が東京まで飛んできたとき。空襲警報《くうしゅうけいほう》が鳴ったので窓から見ていたんです。そうしたら、黒くて日ごろ見かけない飛行機が東から西へ飛んでいった。それが僕にとっての戦争の始まりです。

そして1944年の冬から、本格的な空襲が始まった。そして1945年3月10日の大空襲。空襲だと言われて庭に出て東の空を見たら、焼夷弾《しょういだん》がうわーっと花火みたいに落ちていて、空が真っ赤に燃えていた。すごいとは思ったけれど、僕は怖いとは感じなかったんだよね。ただ遠くの花火を見ているような気分だっただけ。

当時の田園調布は、住宅がポツンポツンと離れて立っている田舎《いなか》だったんです。何もない野っ原を開発したから、土地がたくさんあったんだろうね。1区画だいたい250坪ほどあった。なので、うちの庭には防空壕《ぼうくうごう》が2カ所。片方は結構広くて、父親の会社の工事の人が造ってくれて、階段で降りられるようになっている。初めのうちは空襲警報が鳴るとその中へ潜り込んでました。でもそのうち、田園調布が標的にされないのがわかってくると、だんだん横着《おうちゃく》になって、せいぜい出ても庭まで。もっと横着になると、警報が鳴ってもふとんで寝ていたんです。

でも徐々に、渋谷《しぶや》や恵比寿《えびす》といった住宅地まで空襲されるようになってきた。そうして5月29日、どうしたわけか田園調布に焼夷弾が落っこちたんです。大した量じゃなかったと思うんだけど、何カ所かトントントントンと落っこちてね。そのころには近所はみんな疎開していて、家が空っぽで誰もいない。人がいないから消火できなくて、どんどん風にあおられて火が迫ってきて、隣の家まで燃えてしまった。火の粉がバンバンうちのほうに飛んで来たので、父と母と一番上の姉がいたかな、みんなで庭の大きな池から水を汲んで、ハシゴを登って屋根にびゃーッと水をまきました。こんなことをしてもどうせ燃えちゃうんだろうなと思ったけれど、幸いにも無事。中学2年生になったばかりでまだ体が小さかったから、この時はちょっと怖かったね。それが1回目の怖い体験。

3月10日の大空襲で都心が焼けて、次に飛行機の製作所があった三鷹《みたか》市あたりが焼けて、残った住宅街も焼かれて、東京都は焼け野原になった。

そんな中でも、僕の通っている中学校では授業をしていたわけだ。僕は田園調布から渋谷まで東急東横線《とうきゅうとうよこせん》で行って、それから都電《とでん》で材木町《ざいもくちょう》（現・六本木周辺）という駅まで通っていた。

でも空襲で猛烈《もうれつ》に爆撃《ばくげき》されて電車が動かないから、自転車で毎日田園調布の自宅から通ってたんだよ。距離は12キロメートルくらいかな、途中4カ所ほどすごく長い坂があるの。だけども う自動車なんて走っていないし、信号もついてないから、ノンストップで行ける。それを何カ月やったかな。空襲のあった翌朝は、道路の脇がブスブスと燃えているわけ。道端《みちばた》には、マネキン人形みたいに黒焦げになった人の遺体が山のように積んである。そんな中を通って授業を受けていたんだよ。3年生や4年生は工場へ学徒動員されてたから、1年と2年だけが授業をやっていたと思う。

在校中に警戒警報《けいかいけいほう》(空襲警報の一つ前段階の警報)のサイレンが鳴ると、先生が「そら、みんなうちに帰れー!」と言うわけ。今から考えると、学校は鉄筋《てっきん》コンクリートであのころにしては珍しくしっかりした建物だったから、学校のほうが安全だと思うんだけど、なにしろ「帰れ」と強く言われるもんだから、自転車でブワーッと走って帰る。一度、代官山《だいかんやま》のトンネルから出たとき、目の前に戦闘機《せんとうき》が2機飛んできたことがあってね。パイロットが見えるくらいの低さで、片方がダダダダッと機銃《きじゅう》を撃ってくる。トンネルから出た途端《とたん》だったから、逃げる余裕もなかった。あっという間に行っちゃったけれど。あの時はもう、「死んだ」と思ったね。

寝ている間に自宅に直撃していたかもしれない爆弾

もうひとつ怖かったときの話は、空襲後の消火に備えて、「宿直《しゅくちょく》」と称して生徒が学校に泊まらされていたときのこと。僕が当番の日に空襲になって、麻布《あざぶ》から渋谷あたりが全部燃えた。焼夷弾がバンバン落ちてきて、校舎は頑丈《がんじょう》なコンクリートだったから燃えなかったけれど、焼夷弾が窓を突き破って落ちてきた。それをみんなでバケツで水をまいて消すんです。講堂は屋根がガラスだったから、焼夷弾が全部突き抜けてきて、床がだいぶ焼けて、それを消すのは大変だった。そのときもちょっと怖かったね。

6月くらいのある晩、東京の空襲はだいたい終わっていて、こちらも空襲慣れしてたから警報が鳴ってもそのまま寝ていてさ。そうしたら、突然ものすごい音がして。日ごろ聞く焼夷弾の音じゃない、ドカーン！っていうすごい地響《じひび》きがして、ガラス窓がふっ飛んだ。これはおかしいぞと思いながら、幸いにもうちは壊れなかったので、翌朝になってから様子を見に行ったんです。

要は爆弾が落とされたんだよね。うちの近くに田園コロシアムというスタジアムがあったんだけど、その隣に直径10メートルくらいの大穴があいていた。そういう大穴が点々と続いている。自宅は高台にあったから、うちの屋根すれすれを通っていったんだろうな……。爆撃手がコンマ1秒ボタンを押すのが早かったら、自宅に直撃して、今僕はいなかったと思うんだ。

夏休みになると、空襲もあまりなかったはず。当時とっても親しかった中学の友達としょっちゅう遊んでいたんだけど、ある日、「海水浴と潮干狩《しおひが》りに行こう」という話になって、千葉の幕張《まくはり》あたりまで遊びに行ったんです。

そのとき乗ったのは、総武線《そうぶせん》だったか京成電鉄《けいせいでんてつ》だったか……どういうわけか、普通に通っていたんだよね。母もよく「行っておいで」って言ったと思う。海辺には誰一人いやしなかった。海の家が1軒だけ開いていて、そこに入って着替えて、海に入ってじゃぶじゃぶやってね、その砂浜をちょっと掘ったら、手のひらくらいのハマグリがゴロゴロ出てきた。だからそれを掘って、大きな袋に入れていた。そうしたら東京湾の向こう側——幕張の対岸は川崎だね——

が、どんどん爆撃されていて、火の粉が上がっていた。今思えば信じられないことだけど、海の向こうだし、「こっちじゃないからいいや」とそのまま遊んで帰ったんだよ。空襲慣れしていたんだね。

そうやって迎えたのが、終戦の日だった。

ようやく認められた運動部

詔勅《しょうちょく》（天皇が公に示した文書）のあと、日本の学校の変化はすさまじい勢いだったよ。今までは軍国一色《ぐんこくいっしょく》で「鬼畜米英《きちくべいえい》」なんて言っていたのが、コロリと変わって。

すぐに授業は復活したけど、教科書は黒塗りで歴史の授業もなくなった。一番うれしかったのは、9月くらいになったら「運動部を作っていい」と許可されたこと。戦時中は運動、体操の時間は剣道と軍事演習のみ。軍事練習は、小銃《しょうじゅう》を模した木銃《もくじゅう》を持たされて、「えいッ！　えいッ！」

と木にくくられたわら人形を突く。これを毎日してたんだから。それからようやく、うちの学校に野球部、水泳部、バレーボール部、卓球部ができたんです。各部のリーダーが部員集めの演説会をしたりして、僕もいろいろ見て歩いた思い出があるな。

僕は自宅に卓球台のようなのがあったから、毎日両手にラケットを持って左右交互に打つ遊びをしていたわけ。それでうまくなったんだろうね。学校に卓球台が2台あって、休み時間になると、うわーっとみんなが集まる。勝ち抜きで、3ポイントだか5ポイントだか取ると居残れるっていうルールでさ、僕は休み時間ずーっと勝ち残ってた。だから卓球部ができても、選手には負けなかったね、それくらい強かった。

でもあのころはやっぱり野球が人気だったから、野球部に入ったんです。ところが、学校は都心の麻布にあったから、グラウンドがない。校庭も猫の額《ひたい》くらいのアスファルト製。その裏に、半分畑になっているような、トスバッティングやキャッチボールができるくらいの小さな空き地があった。でもグローブもベースもないから、上級生と都電に乗って日本橋まで買いに行ったんだ。どうやって情報を仕入れたのか覚えてないけど、戦前のベース板を売っているところがあるというのでね。

当時、中学は5年制だったけど、4年生からは上の学校の受験ができたんです。それで僕は4年生の初めから受験勉強を始めて、その年に受験しました。志望校の都立大学はうちの近くだったけど、物理の試験に失敗してダメだった。だけど、早稲田《わせだ》第一高等学院の一次に受かって、二次が身体検査だった。そのころ僕は生意気盛《なまいきざか》りで、戦争中は坊主だったから髪を伸ばしていて、油をこってりつけてなでつけてね。親父が軍属でどこかへ行ったときのしゃれた洋服があって、それを着ていったわけ。そうしたら「君、早稲田は蛮《ばん》カラな学校だから、そんな格好をしていたらダメだよ」って言われて、その通り落っこちた。もともと4年生で入ろうと思っていなかったからいいやと思っていたんだけど、1週間くらいしたら、追加で合格って葉書《はがき》が来たんです。

早稲田を受験した際の宮城さん（宮城さん提供）

学校の先生には「馬鹿野郎、もう1年中学校で勉強して東大へ行け」と言われるし、野球部の連中にも「もう1年一緒に野球やって甲子園行こうぜ」なんて言われていた。それを押し切って、早稲田大学に行っちゃったんだ。

入学してみたら、周りは5年生とか浪人して入ってきた奴ばかり。ヒゲを生やしたおじさんみたいな奴もいて、僕なんて子どもみたいで驚いたね。しかも授業が全然おもしろくない。中学校がすごく進んでいたんだと思うんだけど、もう習ったようなことばっかりやるんです。それで何か運動をやろうと思ったんだけど、いろいろ見て回っても、これというのがなかった。ある日、中学校から一緒に入った奴と大隈庭園《おおくまていえん》を散歩していたら、その裏にテニスコートがあった。庭園の築山《つきやま》に座って観ていたら、そいつが一緒に庭球部《ていきゅう》(テニス部)に入らないかって言うの。

もともと親父と姉貴2人が戦前に田園クラブでテニスをやってて、昼飯をご馳走《ちそう》になるのに、僕もときどきくっついて行ってた。それでテニスに興味はあったけれど、クラブに入るほどでもなかったから、庭球部なら入ってもいいかなと思ったんですよ。親父も野球よりテニスをやれって言ってたから喜んでね。

それで未経験ながら庭球部に入ったんだけど、部にはボールが数個しかないのに、部員は40名じゃきかなかったから初心者なんて練習に入れない。朝からコートの手入れをして、そのあとはずーっとボール拾い。お昼休みはお弁当を5分くらいで食べて、午後の練習が始まる前にコートに駆け込む。練習が終わるとようやく、日が落ちてボールが見えなくなるまでの10分だけボールが打てた。ケバなんてなくなって、くりんくりんのボールだから、打ったらピューーッて飛んで行っちゃうんだけど、それでも素晴らしくいい気持ちでさ。一緒に入った奴は1週間で辞めちゃったけれど、僕はすっかりテニスに入れ込んじゃったの。

宮城さん小学校3年生のころ、田園クラブにて（宮城さん提供）

夏休みになると、部員の3分の2くらいは地方の実家に帰っちゃったから、残ったメンバーで朝から晩まで練習したんです。それで夏休みの終わりに、今の毎日新聞トーナメントだと思うんだけど、少年の部があって、申し込んだ。そうしたら1年上の先輩が「お前、もしシード選手に勝ったら、豚カツをおごってやる」って言うんだよ。あのころの豚カツなんて、薄いハムに、分厚く衣をつけて揚げたやつだったけど、それでも大変なご馳走でね。「これは豚カツを食わなくちゃいけない」と思って、頑張って3回戦で慶應義塾大学のサブシードに勝って、豚カツを確保したんです。準々決勝で法政大学の強い奴にも勝って、とうとう準決勝まで行っちゃった。そこで慶應大学の有名選手に負けちゃったんだけど、その試合を4年生の先輩が見ていてくれて、それから練習に入れてもらえるようになったんだよ。

当時、僕のテニスの実力は、大したものじゃなかった。野球やってたから肩が良かったのかもしれないけど、サーブは割に入ってね。フォアハンドはいいけど、バックハンドは辛うじて返せるくらい。それでも、夏休みが終わったころには、早稲田のレギュラーの一番下には勝てるくらいにまでなった。あのころの日本のテニスって、その程度のレベルだったんですよ。

Writer's note

大切な記憶や情報も、どんどん失われていく

宮城 淳さんは、テニス選手として全国的に有名だった方です。日本人として初めて、USオープンテニスのダブルスで優勝されました。「宮城・加茂」といえば当時日本を代表する選手だったそうです。

宮城さんのお話には電車の話がたくさん出てくるので、いろいろ調べてみました。終戦を迎えたとき、東京から富士山が大きく見えるくらい焼け野原だったといいますが、何もかも機能停止して終戦になったのではなく、焼かれても電車などはすぐに復旧していたことに驚きました。「停電になった日はそんなに多くなかった」とおっしゃっていたのも印象的で、どんなに空襲を受けても、ライフラインはすぐに復旧されていたのかもしれないですね。

電車がいつくらいに運休になり、いつ復旧したのか東急電鉄《とうきゅうでんてつ》、京成電鉄《けいせいでんてつ》、JRに問い合わせをしましたが、戦時中の運行状況については、現在は詳細がわからないようです。

宮城さんが夏に潮干狩りに行った幕張《まくはり》は、埋め立てが始まったのは1960年代からとのことで、JR京葉線《けいようせん》はまだありません。埋め立てもまだ進んでおらず、総武線《そうぶせん》または京成線《けいせいせん》の幕張駅がかなり海岸に近かったようです。

1950年代は、トーナメントのシステムが確立しておらず、スポーツよりも興行という色合いが強かったようです。インドのマハラジャに呼ばれてインド各地で試合の興行をして王様のようなもてなしを受けたこともあったとか。宮城さんはUSオープンテニスのダブルスで優勝されましたが、台風で日程が延びて強い選手がいなくなり「運がよかった」と、淡々と話してくれました。アメリカからの帰国時にオーストラリアの選手を連れて帰り、昼はエキシビジョンマッチをやって夜は築地の料亭に芸妓さんを呼んで大宴会。その後は赤坂のラテンクォーターなどの大クラブに連れていったそうです。日本にマイカーが2000台ほどしかなかった当時、愛車ルノーを運転して会社が作ってくれたコートと会社と自宅を回る生活だったとか。柔らかな物腰でマナーに厳しい宮城さんからは想像もつかない派手な若者時代です。“人に歴史あり”ですね。

宮城さんに取材をしたのは、2018年夏でした。本の出版を目前にして、2021年2月24日、永眠されました。お話を聞いておいてよかったと思う反面、大切な記憶や情報がどんどん失われてしまうということを改めて実感します。

COMMENTARY

逃げまどう市民

【Keyword】東京大空襲

太平洋戦争中のアメリカによる初めての空襲は、1942年4月に行われたドゥーリットル空襲でした。この空襲は開戦から4カ月あまり、連戦連勝《れんせんれんしょう》に酔いしれる日本に冷《ひ》や水を浴びせます。真珠湾攻撃を受けて、フィリピンから敗退しつつあったアメリカは、空母《くうぼ》に陸軍のB-25爆撃機をのせて日本本土に近づき、飛び立った16機が東京や横須賀《よこすか》、名古屋、神戸《こうべ》などを奇襲しました。この爆撃による被害は小さかったですが、日本海軍に与えた衝撃は大きく、同年6月のミッドウェー作戦を行うきっかけとなりました。

その後、1944年6月、アメリカが新たに開発したB-29大型戦略爆撃機《おおがたせんりゃくばくげきき》が中国を飛び立ち、北九州市の八幡製鐵所《やはたせいてつしょ》や小倉陸軍《こくらりくぐん》造兵廠を爆撃し、2000人を超える死傷者が出ました。これがB-29による初めての本土空襲です。アメリカによる空襲は、初めのうちは軍事施設や航空機工場を狙っていましたが、1945年に入ると住宅地を焼夷弾《しょういだん》で焼き払う無差別爆撃《むさべつばくげき》に変わりました。アメリカは日本人の間で戦争を嫌になる気持ちが高まるように、市民を狙って爆撃したのです。それによって、66の都市が焼き払われ、約46万人に及ぶ市民が亡くなりました。

宮城さんの話に登場する東京大空襲とは、1944年11月から終戦まで106回にわたり行われた都市部への無差別爆撃のことです。1945年3月から5月にかけての5回の空襲は特に大規模でした。その結果は死者14万6000人、負傷者15万人以上、被災者310万人、都市部の50%が焼け果ててしまうという甚大なものでした。広島・長崎への原爆投下、沖縄戦とともに多くの市民が被害を受けた出来事として記憶に残されています。

日本全国の空襲死者数

459,564人

都道府県ごとの空襲死者数

1	東京都	146,597人
2	広島県	142,572人
3	長崎県	75,520人
4	大阪府	15,811人
5	兵庫県	10,754人

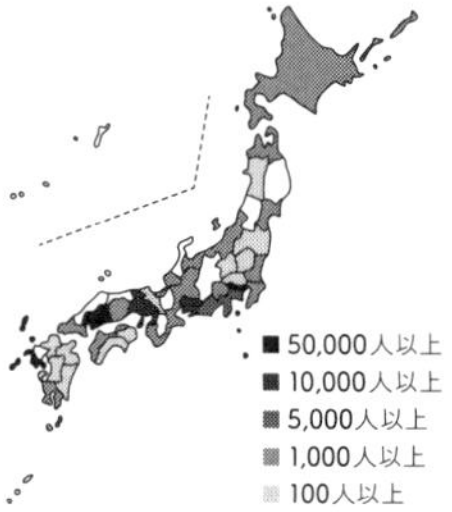

あまり大きくうたわれることはないが、地域別の被害状況を見てみると、ほとんど被害を受けていない地域もある反面、原爆を落とされた広島や長崎よりも、東京のほうが死者数が多かったことがわかる

Episode

09

Genshitsu Sen

「特攻で死んでいたかも」千利休から400年続く裏千家の跡継ぎの物語

千 玄室

せん・げんしつ

1923年生まれ／終戦時22歳

茶道裏千家《うらせんけ》第15代前家元。現在は千玄室大宗匠《だいそうしょう》と呼ばれる。海軍飛行予備学生として飛行訓練を受けたが出撃命令が下らないまま終戦。「一盌《いちわん》からピースフルネスを」の理念を提唱し、道・学・実をもって世界70カ国以上を300回以上歴訪し、茶道文化の浸透・発展と世界平和の実現に向けた活動を展開している。

徴兵免除が廃止され、学徒出陣で海軍へ

私はね、「平和」という言葉を使うのが嫌なのです。なぜ「平和」という言葉を今なお使わなければいけないような世の中なのか。考えてみてください？　「平和」という言葉を使わなくてもいい世の中にしなければいけないのではないでしょうか。人は世界中を巻き込むような熾烈《しれつ》な争いをしてたくさんの犠牲者《ぎせいしゃ》を出したのにもかかわらず、そのつらさをもうケロッと忘れてしまった。そして宗教上、人種上、いろんな差別、区別をして争いをし続けている。そしてそれを日本人は対岸の火事のように眺めている。地球上に一緒に住んでいる人間が、もっと仲良くして、和《やわ》らぎをもっている状態が当たり前だったら、わざわざ「平和」なんて言葉を使うことはないのです。本当に、人間は厚かましい生き方をしていますよ。金銭的なもつれ、家庭、会社、学校、あらゆる場所での揉《も》め事やいさかい、いじめがある。だからみんな、平和という言葉を使って、現実にはない平穏《へいおん》な時間を願っているだけなのです。

私は大正、昭和、平成、令和を生き残ってきました。まさかここまで生きてこられるとは思

わなかったね。昭和の戦争の時代に死ぬと思っていましたから。

私は、茶道の創始者である千利休《せんのりきゅう》から数えて15代目、裏千家《うらせんけ》の家元でした。千利休は武家でありながら、茶人でした。「武」はいつでも殺し合ったり傷つけ合ったりするけれど、文化にはそれがない。どこにでも入っていけることが強みです。だから千利休は、文武両道《ぶんぶりょうどう》を教えました。茶の湯の精神にはそれが残っています。そして私は、家元になる嫡男《ちゃくなん》でありながら、第二次大戦に参戦したのです。幾度にもわたる検査と試験を乗り越えて、学生の時に海軍に入りました。

日本には明治以降「徴兵令《ちょうへいれい》」と呼ばれる、男子に兵役を義務とする法令があったのです。それが昭和に入って兵役法（１９２７年）になって、学生のうちは26歳まで徴兵猶予《ゆうよ》が設けられることになりました。ところが１９４３年に、時の東條英機《とうじょうひでき》内閣によって、理工医系に体の弱い人などを除き、学生の徴兵猶予を全面的に取り消す指示が出され、学徒出陣が始まったのです。ちょうど私が20歳になる、同志社大学の2年生に上がった年でした。

徴兵検査では、甲種《こうしゅ》や乙種《おつしゅ》、丙種《へいしゅ》など5つに分けられました。体格や病気があるかないかを確認されて、すぐにでも軍に入れるような健康優良児が甲種で、私も乙でしたが合格。そのころ、地上戦が激化していた中国戦線と南方戦線では兵隊がたくさん必要だったので、親しかった仲間10人のうち8人は陸軍に入ったのです。彼らはフィリピンや中国、旧ソ連などで、ほとんど亡くなりましたね。

私はというと、海軍予備学生として、まずは舞鶴の海兵団《かいへいだん》で40日間、試験や検査を受けました。海兵団というのは、海軍に入る兵たちに基礎のようなものを教えてくれる教育機関です。そこでは毎日麦飯とお汁を一杯だけしか食べられなかったから、とにかくお腹が減ってね。麦飯ってのは白米と違って独特な

海軍徳島航空隊時代の千さん。愛機・白菊の前で（千さん提供）

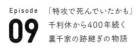

臭いがして、はじめは食べられたものではなかったのだけど、2日目くらいからはお腹が空くから、食べないとしょうがない。お汁の具は、イワシの身をほぐしたものとかだったのかな。もう何が入っているのかもわからない。それと、たくあん。そういうものをいただいて、試験を受けたのです。勉強もしなくてはいけないのだけど、数学や物理などもあってね。それが嫌いでみんな文系大学に行っているのに、「なんでまた試験や！」って文句言いながらやっていましたよ。でも、こうした知識は海軍には必要なのです。

海兵団でさまざまな教育を受けた最終日に、入隊試験の結果発表があった。「名前を呼ばれた者は前へ整列！」と言われて、次々と名前が呼ばれていく。呼ばれた者は荷物を詰めて次の兵舎に行けと指示されていました。私はなかなか名前を呼ばれなかったから、「落ちたな」と思ったのですが、分隊士《ぶんたいし》が来て「おめでとう！　あなたがたは海軍飛行予備学生に合格した。今日からさっそく（茨城県の）土浦《つちうら》海軍航空隊に入隊する。荷物をまとめい！」と。名前を呼ばれた者たちではなく、残された連中が合格だったのです。周りを見たら、なるほど、残っていたのは強者《つわもの》ばかりでしたね。

海軍でのひととき

それからは、食事の内容もガラッと変わった。毎日卵やバターミルク、食パンなどが出ました。それまでは麦飯だったけど、士官になってからは白米も食べられました。

海軍の軍人として、私は2年近く、飛行機乗りの訓練に明け暮れました。私はこの「飛行機乗り」という言葉がすごく好きなのです。厳しかったけれど、海軍士官試験にも通って、海軍少尉《しょうい》という、士官では一番下だけど「位」ももらって、一人前な顔をしてね。海軍の飛行機乗りというのは当時、大変なエリートでしたから、「武人の誉《ほま》れ」というものです。

私は土浦の航空隊で2カ月半~3カ月ほど士官教育を受けて、実戦の飛行訓練のために徳島に移りました。その間一緒だったのが、のちに水戸黄門役で有名になった俳優の西村《にしむら》晃《こう》です。彼は徴兵検査をギリギリで通ったので背が低かったけど、私は高かった。でこぼこコンビで仲が良くて、土浦、徳島と一緒に訓練を受けて、一緒に任官して、特修科《とくしゅうか》学生としてまた特別にいろんな訓練を受けました。

　宿舎ではね、就寝のラッパが鳴ったあと、1時間くらい、タバコ盆（灰皿）の周辺に集まって、ワイワイ話すのです。そのときの楽しさといったら。海軍少尉になってからはもう士官ですから、誰に拘束されることもない。士官次室に集まって話していると、東大や慶應大、立教大の連中は、銀座の地図を克明《こくめい》に描くのですよ。「ここに千疋屋《せんびきや》があって……」「違うよ、そこは資生堂《しせいどう》だよ」なんてね。京都や大阪の連中は京極《きょうごく》や新京極《しんきょうごく》、河原町《かわらまち》の店の話や「あそこのうどん屋うまいな」などと盛り上がっていました。「お前は

徳島航空隊時代の戦友と。右端が俳優・西村晃さん、その隣が千さん（千さん提供）

何が食いたい？」と聞くと、「ショートケーキかなー」「もういっぺんあそこのオムライスが食べたい」と言い合ったりしていました。

そんな話で盛り上がってはいたけれど、我々海軍の飛行機乗りは給料がよかったから、ステーキなども食べられて、不自由はしていなかったのです。徳島の航空隊の主計長《しゅけいちょう》が気を遣《つか》ってくれて、眉山《びざん》という、美人の眉のような山があるのですが、その麓《ふもと》に集会所を造ってくれた。その集会所では、ビーフカツや、わらじみたいなステーキが食べられた。お金は払わなければいけなかったけれども、おいしかったし、思い出の多い時でした。

茶を点てて特攻する仲間たちを見送った日

学徒出陣で集められた者は、本来なら1年半くらいかかる訓練をわずか10カ月で詰め込まれて、「貴様らは死にに来たんだ！　身をもって覚えろ！　飛行機と貴様らは一緒だ！　一体になれい！」「お前たちはここへ何しに来てる！　死にに来たんだ！」って、毎日毎日言われる。

明けても暮れても、「お国のために選ばれて飛行機乗りになった、死にに来たんだ」と。思い出すのも嫌なほど過酷《かこく》な訓練だったけれど、仕方がない。

1944年の年末に訓練が終わって、3カ月の特修科学生の教練が終わると、4月に特別攻撃隊の編成があった。大学から任官した海軍少尉と、二等飛行兵曹《にとうひこうへいそう》が200名くらいいたかな。川本大佐という司令官から、紙切れが配られました。見てみたら、そこには「熱望」「希望」「否」と書いてある。「特別攻撃隊に志願するか」という質問に対する、返答を書けというのです。このうちのどれかに丸をつけて、官姓名《かんせいめい》を書いて、その日の午後4時までに出せと言われました。

私は当時、幼名《おさなな》を名乗っていて、「政興《まさおき》」と言いました。家元を継ぐことを許されると宗名《しゅうみょう》をもらって「宗興《そうこう》」になり、1964年に父から代を継いで、「宗室《そうしつ》」になった。400年間ずっと、代々裏千家の家元は宗室という名前なのです。大半は、先代の家元が亡くなった時に代が替わるのですが、私は長く生きられたので2002年に長男に家元を譲り、今度は隠居名《いんきょな》である「玄室《げんしつ》」になりました。だから私は、生涯で3回名前を変えているのです。でも本当なら、政興のまま死んでいるはずだった。私は司令官から渡された紙に官姓名である政興と書き、「熱望」に丸をしました。中には「否」に丸をつけた者もいたけれども、そんなことはできなかった。

その2週間後、また飛行搭乗員が集められて、全員が特別攻撃隊員になったと告げられました。それから、特別訓練が始まったのです。1500メートルくらいの高さから、ビューン！と突っ込んでいく訓練。それから夜間飛行の訓練。まあ、みんなよく耐えた。転勤して出て行った連中もいましたけれど、最終的に残ったのは100人くらいだったかな。とにかく猛訓練《もうくんれん》の日々でした。

1500メートルもの高さから一気に降下していくと、グワーッと重《じゅう》がかかるから、失神寸《しっしん》前になるのですよ。でも地表の200～300メートル手前で機首をグッと上げないと、そのまま地べたに突っ込んでしまいます。その訓練で亡くなった連中もずいぶんいましたね。それでも戦死です。優秀な大学生がどんどん死んでいきました。私たち第14期飛行科予備学生の仲間は、全員で400人近くが靖国神社に祀られています。

その訓練の最中、「千少尉！」と呼び出しがありました。飛行分隊長の上官が、「貴官は待機《たいき》命令《めいれい》」と言うのです。特攻には行くなと。「はあ？　嫌です。私は絶対に出ます。一緒に行かせてください」と粘りましたが、「いや、待機という命令が来た」と断られてしまった。3回頼みに行ったけれど、「まあ急ぐな、今に命令が来る」と言われて、変わらなかった。

基地での訓練のあと、7、8人で集まって、羊かんを切って、私が点《た》てたお茶を飲んだ。旗生良景《はたぶよしかげ》という福岡出身の少尉がいたのですが、彼は京都大学なので

航空基地で搭乗員仲間に茶を立てる千さん（千さん提供）

下宿していて、「これがお茶の家元の家か」と思いながらうちの前を通ったことがあるらしい。そして「もし俺が生きて帰ったら、お前の茶室で飲ませてくれや」と言うのです。

「うちで飲ませることはできても、俺ももういない、お前も死ぬんだ」

そう思ったらね、ゾーッとしました。同時に、「ああ、利休様がおっしゃった一期一会《いちごいちえ》とはこのことだ」と感じたのです。

あの時代、21、22歳の年ごろでも、恋人なんてみんないないのです。だからみんな、おふくろが恋人だった。おふくろに会いたいな。頭をなでてもらいたいな。もう、たまらなくなって、みんな自分の故郷《くに》のほうを向いて、涙を流して「お母さーん！」と叫びました。今でもその声が耳に残っています。

そして、旗生少尉が仲間では最初に突っ込んでいきました。あとに続いて、みんなも突っ込んだ。私だけが「千少尉、松山の基地に移れ」と言われました。そして飛行科の分隊士として、予科練上がりの飛行機乗りを訓練したのです。あとでその連中から、「千分隊士がいつも『死ぬなよ、早く死んではだめだ。いいか、生きろよ』とおっしゃった」と言われました。でもそれは、実はどこかで自分に言い聞かせていたのです。だんだん、「もう出なければいけない」という予感がしていてね。長く続いたうちの家も、弟が継げばいいと、覚悟を決めていました。

それでも最後に母が面会に来てくれたときには、「お母さーん！」って抱きつきたい思いがあったね。でも私は将来家元を継ぐ嫡男《ちゃくなん》だからと厳しく育てられたし、もう軍人だから、照れくさい。でもまだ若くて子どもだったから、お母さんにも甘えたい。あのときの気持ちはいまだに思い出します。

終戦後、母にそんな話をしました。みんなが「お母さん！」と泣いたと言ったら、母が「あなたは？」と聞くので、「もちろん、僕もお母さんに会いたかった。最期にお母さんに頭をなでてもらいたかった」と素直《すなお》に言ったのです。そしたら母がワーッて泣き出してね。私はそれまで母の涙を見たことがなかった。母も武家の娘で厳しく育てられたから、私が出征するときだって、父の陰に隠れて涙を見せない人だったのにね。

玉音放送の混乱の末の帰還

玉音放送を聴いたのは、松山の航空隊で訓練をしているときでした。確か9時ごろだったかな、「今日は重大放送があるから、訓練を減らす。放送を聴け」と上官から言われて、訓練をやめましてね。私の部下の甲種飛行予科練生15期の連中を集めて、その重大放送を聴きました。ラジオの電波が悪いのは慣れていたけれど、「朕《ちん》深く……」のあとはわからなくて、「負けた?」「戦争をやめた?」「そら大変だ!」と大混乱でした。

「ちょっと待て、司令部に行ってくる」と言って、私が司令部に行くと、士官がみんな集まっていました。「どうした?」「終戦の勅令《ちょくれい》だ」「負けたのか?」「敗戦か?」「無条件降伏《むじょうけんこうふく》したらしい」と騒いでいて、「けしからん、これから飛ぼう!」「希望者は集まれ、行くぞ!」と言い合っていたのです。そうしたら司令が出てきて、「確かに無条件降伏、武装解除《ぶそうかいじょ》の命令が下ったんだ、軽々しい行動はやめろ。命令に従え!」と言われました。海軍では、上官の命令は絶対です。でも意気込んでいる連中は「命令もクソもあるか!」と軍刀を抜いて、中には「残念《ざんねん》無念《むねん》」と割腹《かっぷく》しようとする者までいた。「天皇陛下に申し訳ない」と涙する、そんな人間ばかりでした。「おい、千中尉、お前どうするんだ?」と聞かれたけれど、どうするもこうするもない。

「ソ連の連中が来るらしい、四国がやられたら指を切られるって話だ」「嘘だろう?」「信州まで逃げたら大丈夫やろ」「飛行機でみんな逃げるか」などと言っているうちに、8月下旬になってに命令が出ました。南方輸送《なんぽうゆそう》と言って、南方にいる兵隊、将兵、特に重要な将校を大型機で輸送に行け、というものです。その輸送の機長を希望する者、と言われたので、「はい!」と名乗り出た。そして、命令をもらってね。私と13期の松本中尉、そしてもう1人の少尉と3人でポンポン船に乗って、松山から姫路に上がりました。今の伊丹《いたみ》空港があるところが大きな陸軍の基地だったのです。大阪府豊中市の蛍池《ほたるいけ》へ訪ねていくと、陸軍の連中が右往左往《うおうさおう》していました。

陸軍の副官中尉に会って、お互い敬礼《けいれい》して「千中尉、大型の輸送機の機長を命ぜられて来ました!」と言うと、相手はびっくりして「えっ? ちょっとお待ちください」って奥へ行ってしまい、しばらく待たされた。そうしたら「そういう命令は当方では受けておりません」と言うのですよ。何かの行き違いがあったのか、話が食い違っていたのです。「本部に問い合わせます」と言われて待っていると、「こちらもこんな状況なので、宿舎があるから泊まっていってください」と言う。こちらは皆、顔を見合わせて、「おい、どうする？」と。

そうしたら松本が、「おい、復員手当《ふくいんてあて》もらってきたか？　それならこのまま帰還してもいいのではないか」と言い出しました。命令がこんなことになっていたら仕方ない。でももう一度調べようと言って、新聞社なら何かわかるかもと思い、2人で大阪に向かったのです。

大阪はもう壊滅状態《かいめつじょうたい》でしたが、朝日新聞社のビルは残っていた。私たちはそこの航空部に行きました。昔から陸海軍と飛行機を共有していましたから、つないでもらえるだろうと思ってね。そこで部長さんと話したのですが、「ここは今大変なのです。いろんなデマと情報が入り乱れて」という。そこでも何もわからなかった。「私が責任を持ちますので、お帰りになられたらいかがですか？　もしも何か命令が出たら連絡します」と言われたので、電話番号を教えて、実家に帰らせてもらいました。

戦争で負けても文化では勝っている

私はうちに着くと、門前で軍刀を置いて土下座《どげざ》しました。「申し訳ない、二度とこの門はくぐれないと思っていたけれど、敗戦になり帰って参りました」と。そうして家に入ったら、プーンと線香の臭いがする。「あ、俺は死んだことになってるのだな」と思いましたね。しばらくしたら、タタタタータッと2歳下の弟が走ってきた。ボーッとしばらく私の顔を見たあと、「帰ってきた！　帰ってこられた！　良かったー！　お母さまー！」と叫びながら、母親のところへ走って行った。

何が良かったのかと思ってあとで聞いたら、私が戦死したら、自分が跡を継がなきゃいけないから、どうしようかと思っていたそうなのです。私だけが茶家の跡継ぎとしての厳しい修業を受けていたので、次男や三男は見よう見まねくらいしかできないのですよ。なのにどうやって跡を継げばいいのかと、頭を抱えていたらしいです。

母も慌てて奥から出てきて、私の顔を見てボーッと見ている。「帰ってきたの……」と。それから母と弟と抱き合って、「帰りました、申し訳ありません」って言ってね。そのあと父にお会いしたけれども、「ご苦労様でした、しかし残念なことやった」と言うだけで、何も聞かれませんでした。

うちに戻ってから1カ月くらいは、庭の整理をしていました。うちは、庭に大きな防空壕《ぼうくうごう》を造っていて、大事なお茶道具はそこへ入れていました。造るときは社中の人が手伝ってくれたからよかったけれど、もうそれどころじゃない。膨大《ぼうだい》な荷物や茶道具を中から出して、今度は空《から》になった防空壕を自分たちだけで潰《つぶ》さなければいけなくて、大変でした。

京都は空襲で焼かれずに残ったけれど、大阪も東京も焼け野原です。広島や長崎には原子爆弾まで落とされて、アメリカが勝った。罪のない国民たちを惨殺《ざんさつ》していったのです。私たちは負けて、占領《せんりょう》された。実に悔《くや》しく、残念なことでありました。

しかしアメリカの将兵たちには、日本の国の伝統文化に触れろ、という命令が出たようで、彼らはジープで乗りつけて、神社仏閣《じんじゃぶっかく》、能楽堂《のうがくどう》や私のうちにもやってきました。父は英語が上手だったから、茶道の解説をしていましたね。その様子を隙間《すきま》から見ながら、アメリカの将兵たちに対して「この野郎！」って思ったりしてね。でもみんな、正座させられてお茶を頂いているじゃないですか。日本の軍隊は負けたけれど、日本の伝統文化は、お茶は、アメリカ軍を従えることができたんです。

私はそこで初めて、目覚めました。一碗《いちわん》のお茶は、すごい力を持っているのだと。単なる飲み物ではない。礼儀《れいぎ》、しつけ、人間関係を作るテクニック、そういうものがすべて含まれていると、気づかされた瞬間でした。将校たちがお茶を頂いたあとに、照れくさそうに苦笑いしたり、足をモゾモゾさせている。父が「Make yourself at home.（楽になさって）」と言うと、喜んで足を投げ出す。それを見て、無邪気《むじゃき》なものだなあと思いました。でも、お茶の良さをしみじみ感じたんです。だから私は、一碗のお茶をもって、世界中を行脚《あんぎゃ》することにしたのです。

Writer's note

一碗の茶に学ぶべき人間関係と平和の心

千さんは茶道の最大流派、裏千家の前お家元です。戦後、ハワイ大学や韓国中央大学校を修学するなど国際的で、世界中に茶道文化を広めた人でもあります。

千さんは茶道についてこんなふうに言っていました。

「もっと人間が、半歩下がっていつでも自分を省みて、反省する心があったら、ぶつからないのです。みんなが前に出るからぶつかってしまう。人とぶつかると思ったら自分が下がればいい。その心を教えてくれるのが茶の湯なのです。昔から、武士道と茶道は共存していました。なぜ武士道に茶道が必要だったのか。どんどん切りかかっていくばかりが武士道ではないのです。半歩、一歩下がることも必要です。人間の奢《おご》り高ぶりを鎮《しず》めるのが茶道です。それを千利休は信長や秀吉、家康に教えていた。今の総理大臣どころじゃない、時の権力者ですよ。その権力者たちを、たった一碗のお茶をもって教えた精神なのです。だから信長も秀吉も、茶の湯をもってご政道を正す。よき政治をする、よき人間関係を築いていく。『武』というものにはリベンジがある。だから文武両道が大事なのです。戦をすると、勝った負けたがあり、勝ったほうが正しく、負けたほうが悪いということになる。けんか両成敗《りょうせいばい》といいながら、勝ったほうの理屈《りくつ》が通り、負けたほうの理屈は通らないのです。日本に勝ったアメリカが日本を占領《せんりょう》して、いろんな占領政策を施《ほどこ》した。そんなこと間違っている。日本は昔から、穏やかな自然と共同体を持っていた。そして鎌倉時代の元寇《げんこう》以来、よその国から攻められたことがないのです。それなのに大事なことをみんな忘れて、第二次世界大戦で日本はバカな戦争をして、アメリカに占領されてしまったのです」

千さんは、3度も直談判したにもかかわらず待機となり、仲間を見送るだけで特攻隊として飛び立つことができませんでした。真偽のほどはわかりませんが、日本を代表する文化の継承者を死なせるわけにはいかないという軍の意向があったという意見もあります。

お話をされる中で、ご自身のことを、私、俺、僕と、言い分けられていたのが印象的でした。お茶のことを語られるときは私、海軍のお話になると俺、ご自身やご家族のお話のときには僕と言っていました。おそらく、お話される内容に沿ったお気持ちが表れているのでしょう、日本語って繊細ですね。

COMMENTARY

生還を期せず

【Keyword】特別攻撃隊

日中戦争・太平洋戦争を通じての犠牲者数について、実のところ日本政府ははっきりとした数を公表していません。しかし、軍人・軍属の戦没者数約230万人、民間人の死者数約80万人という数字が、メディアなどでは使われています。軍人や民間人に関わらず、亡くなった人の命に軽い重いはなく、等しく悲しい出来事のはずです。では、なぜ特別攻撃隊の存在が後世まで語り継がれ、議論されているのでしょうか？ それは、最初から死を前提とした、生き残ることが許されない作戦（特攻）だったからです。

1944年10月、日本海軍は史上最大の海戦といわれるレイテ沖海戦で、アメリカ海軍に最後の決戦を挑みました。そのとき、敵空母《てきくうぼ》を使用不能にするためには爆弾を積んだ零戦《れいせん》で突っ込むしかないという意見で生まれたのが神風特別攻撃隊です。10月25日、出撃したのべ10機の特攻機は護衛空母1隻を沈め、その他5隻の軍艦に被害を与えました。この戦果を受けて、海軍は特別攻撃隊を主な作戦として採用します。

千さんの話に登場した特別攻撃隊は、このようにして生まれた海軍の部隊ですが、陸軍にも航空特攻を行う部隊があったので、今では航空機による体当たり攻撃の総称として用いられることがあります。そして、戦争末期には特殊潜航艇《とくしゅせんこうてい》「海龍《かいりゅう》」や人間魚雷《ぎょらい》「回天《かいてん》」、小型特攻ボート「震洋《しんよう》」、人間機雷《きらい》「伏龍《ふくりゅう》」、人間ロケット「桜花《おうか》」など多くの特攻兵器が開発・使用され、そこに多くの予科練（はじめに参照）出身者が配置されました。また、陸軍ではフィリピンや沖縄で爆弾を抱えた兵士が戦車に体当たりするような戦法もとられました。それら特攻による正確な戦死者数はわかりませんが、おおむね4000人であるといわれています。他方、アメリカ海軍の被害も死傷者約1万8000人、撃沈された軍艦50隻以上、損傷《そんしょう》を受けた軍艦約400隻という甚《じん》大《だい》なものとなりました。

知覧陸軍飛行場から出撃した陸軍特別攻撃隊

Episode

10

Akira
Yamane

終戦後、朝鮮に帰国して再び戦争に巻き込まれた少年の物語

山根 明

やまね・あきら

1939年生まれ／終戦時6歳

大阪府堺市で朝鮮系の両親のもとに生まれ、終戦間際《まぎわ》に家族で山口県岩国に疎開《そかい》。そこで広島の原爆の惨状《さんじょう》を知る。終戦後は朝鮮（現・韓国）・三千浦《サムチョンポ》に引き揚げるも、今度は朝鮮戦争を目の当たりにする。10歳の時に日本に密入国《みつにゅうこく》し、40歳で帰化《きか》。日本ボクシング連盟の会長などを務めた。

自分が日本人だと信じて疑わなかった幼少期

私は大阪府堺市の御陵通《ごりょうどお》りにある米屋の長男として生まれました。実家の米屋は朝鮮（現・韓国）の慶尚南道《キョンサンナムド》から渡ってきた父方の祖父が買い求めたものですが、私が生まれたころには祖父は朝鮮に戻っていて、日本にはおりませんでした。なので私は、日本生まれの父と朝鮮生まれで神戸の女学校出身の母に育てられたのです。

1910年に韓国併合があったので、併合後に生まれた私の両親は、法律的には「朝鮮系の日本人」という立場だったようです。しかし、両親は日本名を名乗り、日本語を使い、私のことも「アキラ」と呼んでいましたので、私は自分のことを当たり前のように日本人だと思っていました。

当時の米屋は単に米を売るだけの場所ではなく、売買のために店を訪れる人たちによる情報交換の場でもあったので、若い両親は地元の名士として一目置《いちもく》かれていて、商売も繁盛していました。そして、両親が周囲から特別な目で見られていたもうひとつの理由に、父が米屋のかたわら陸軍憲兵隊《りくぐんけんぺいたい》の秘密情《ひみつじょう》報員《ほういん》のような仕事を行っていたことがありました。私が幼いころ、自宅に憲兵将校が訪ねてきていたのを覚えています。泣く子も黙るといわれていた憲兵が、若い父にとても礼儀正しく接していましたね。あとから気づいたことですが、憲兵将校が訪ねてきたのは決まって自宅で飼っていた数百羽の伝書鳩《でんしょばと》が戻ってきた日のことでした。

山根さん（前列右）2歳のころの家族写真（山根さん提供）

ある朝、「アキラ、よう見とき。もうちょいで見えるはずや」と、父に呼ばれて、私は一緒に自宅の2階にある鳩舎《きゅうしゃ》に上がり、大阪湾に目をこらしました。すると小さな点のように見えたものが、どんどん近づいてきて大きな塊《かたまり》になっていきます。それは200羽ほどの伝書鳩でした。

空をおおう鳩が一斉《いっせい》に舞い降りてくる様子は、たくさんの槍《やり》が降ってくるようでとても恐ろしかったのを覚えています。父は鳩を鳩舎に追い込みながら、足に銀色の輪がついた鳩を選《え》り分けていました。今から考えれば、写真のフィルムなど無線では送れない情報を伝書鳩でやりとりしていたのでしょう。もちろん、その日も憲兵将校はやってきました。

疎開先の岩国で見たキノコ雲と終戦の日

戦局《せんきょく》が厳しくなった1945年、私たち家族は山口県岩国市に疎開しました。両親と私たち子ども4人が暮らしたのはいわゆるバラック小屋ですが、かなり広くて20畳くらいはあったと思います。6歳の私と5歳の妹、2歳の弟、生まれたばかりの妹を連れての疎開だったので、母は苦労したと思います。ある晩のことです。床《とこ》についていると突然、バーンという大きな音がして、お膳《ぜん》と一緒に体が衝撃《しょうげき》で跳《は》ね上がりました。びっくりして目を覚ますと、なぜかお月さまが見えている。屋根が吹き飛んでなくなったのです。これがなんの出来事だったのか思い出せませんが、岩国は何度か空襲されたので、そのひとつだったのかもしれません。

広島に原爆が落ちた日のことはよく覚えています。8月9日の朝、父とランニングをかねて近くの山に登ったとき、瀬戸内海のほうでなにやら白く光ったものが見えました。不安になった私は父に「あれ、何？」と聞きましたが、父は険《けわ》しい目つきで光をにらんだまま。すると、それまで見たこともない大きな白い煙が天までわき上がってきたのです。それから大急ぎで家に帰ると、父は憲兵隊の迎えの車でどこかに行ってしまいました。

夜中に帰ってきた父は「広島に原子爆弾が落ちた。街は焼かれて、どれだけの人が死んだかわからんくらいなんやそうや」と肩を落としました。勝気《かちき》な父のこんな姿を見たのは初めてだったので、幼かった私も「何か大変なことが起こった」とすぐに理解しました。

翌日には広島で被爆《ひばく》した人たちが避難《ひなん》してきました。全身が焼かれてどす黒く腫れ上がり、髪は焼け落ち、皮膚《ひふ》もグジュグジュになって、年齢も性別もわかりません。そのときは何が起きているのかなんてわかりませんでしたけど、この世のものとは思えず、本当に恐ろしかったです。数日後、長崎にも原爆が落とされたと聞いて、岩国にも原爆が落ちたら自分もあんなふうになるのだと思うと、怖くて怖くてたまりませんでした。

8月15日の玉音放送は、自宅で家族と聴きました。とても蒸し暑い日だったように思います。「これから天皇陛下のお話があるから、きちんと正座して聴くように」と父に言われ、緊張してラジオの前で正座していました。ガーガーという雑音しか聴こえないので、父がラジオのチューニングをしてね。すると、ラジオから間延《まの》びしたような声が流れてきたんです。私は、天皇陛下は野太《のぶと》い声でしっかり話をする方と勝手に思い込んでいたので、「なんやら格好悪いな」とがっかりしました。そんなことを考えながら足の痺《しび》れにたえられなくなってきたころ、親父が床に頭を伏せて大声を上げて泣き始めたのです。あとにも先にも父の涙を見たのは、そのときだけですね。父は軍人ではありませんでしたが、心は日本の軍人だったんでしょう。敗戦がよほど悔しかったんだと思います。

激しくなった朝鮮戦争。再び〝密航〟で日本へ

その数日後、「これからアメリカ軍がやってくるから、お前たちは朝鮮へ帰れ」という父の言葉で、母と私たち子どもは父方の祖父母がいる慶尚南道《キョンサンナムド》の三千浦《サムチョンポ》に引き揚げることになります。博多港には朝鮮半島から日本に戻ってきた引揚者《ひきあげしゃ》と釜山《プサン》に渡る朝鮮人で殺気《さっき》だっていて、母も必死で「ちゃんとついてくるんやで！」と、私たちを怒鳴《どな》りつけました。朝鮮に上陸してハングルまじりの文字や朝鮮語の話し声を聞いて、私は外国に来たと思いましたよ。

朝鮮に着いて、少し落ち着いたころでしょうか、私の気持ちを察《さっ》した母が「お父ちゃんは憲兵隊の仕事が残っとるから一緒には来れへんのよ」とつぶやきました。日本で生まれ日本人として生きてきた父は、朝鮮人になることがたえられなかったのでしょうね。また、憲兵隊の秘密情報員であったということは朝鮮では売国奴《ばいこくど》を意味するので、帰ることができなかったので

しょう。父の人生には民族の悲哀《ひあい》がつきまとっていたと思います。

父を除く私たち家族は、5年ほど祖父母と一緒に三千浦で暮らしました。三千浦は戦禍《せんか》をまぬがれたのどかな町でしたが、朝鮮では思い出したくもない悲惨《ひさん》な出来事を目にしました。1950年6月に朝鮮戦争が始まる前から、人が蟻《あり》のように殺されていました。私は『男 山根』（双葉社、2019年）という自伝を出しましたが、思い出すだけで涙が出てきて、その当時のことは本には書いていません。

朝鮮戦争前夜の朝鮮にはいたるところに共産主義者のゲリラがいました。1948年には済《チェ》州《ジュ》島のゲリラを軍隊が鎮圧《ちんあつ》する過程《かてい》で大勢の島民が犠牲になった「済州島《チェジュド》四・三事件」や軍隊で部隊ごとゲリラに寝返った「麗水《ヨス》・順天《スンチョン》反乱事件」が起こっています。そんな時代の話です。

何年の話かは覚えていませんが、朝鮮戦争直前のある日、共産主義者のゲリラが三千浦に入ってきて、町中を回って20～30人を家の中から引きずり出したことがありました。ゲリラがその人たちにスコップを持たせて近くの山に向かわせようとすると、命乞《いのちご》いをする家族が「助けて、助けて」と泣きながら追いすがっていた。でも、ゲリラは家族を蹴《け》飛ばして、連行者《れんこうしゃ》を銃で脅《おど》して連れ去りました。私はとんでもないことが起こると思って、ゲリラのあとをつけて山に入りました。すると、ゲリラは山奥に入ったところで連行者を2列に並べて、地面に穴を掘るように命じたのです。

嫌な予感がしながらもそのまま様子を見ていると、穴がある程度大きくなったところで、ゲリラは何も言わずに突然、自動小銃《じどうしょうじゅう》をブバババッとぶっ放しましてね……。穴を掘っていた人たちは、吸い込まれるように穴の中に倒れていきました。墓穴《ぼけつ》を掘るって言葉があるけど、ゲリラはそれを実際にやらせたんですよ。

これもあとになって聞いた話ですが、連行された人たちは、三千浦《サムチョンポ》に潜んでいたゲリラの仲間が、「あいつは韓国政府系だ」と目星をつけていた人たちでした。当時は、国内でも思想の対立が激しかったんです。同じ国に住む朝鮮人同士の殺し合いを見て、母も嫌気がさしたのでしょう。父が三千浦に買ってくれた家や田畑をすべて処分して、急いで日本に帰ることになりました。帰るといっても、今度は「密航《みっこう》」ですね。

当時の私は生まれ育った日本に帰れることよりも、父に会えることがうれしかったです。しかし、清子《きよこ》という好きな女性がいたので、彼女と別れるのはつらかった。だから私は何度も書き直したラブレターを彼女に手渡しました。

「堺は天皇さんのご先祖の大きなお墓があるから空襲も受けてないはずだ。それに、大阪は秀吉のころからの商売の街なのでとてもにぎわっている。清子、一緒に日本に行こう」

そんなことを書いたと思います。でも、待ち合わせ場所に彼女は現れませんでした……。実は最初の密航は失敗して、無一文《むいちもん》になって三千浦に戻りました。それでも私はどうしても日本に帰りたかった。それで、10歳のとき、ひとりで密航船に乗って再び日本に渡ってきたのです。

もし、戦争がなかったら、日本が負けなかったら、私は何不自由なく、日本人として日本で過ごしていたでしょう。戦争と国の都合で、私は日本人だったり、朝鮮人だったり、韓国人だったりと、人とは少し変わった人生を送ってきました。

1980年、日本国籍を取得し、私がようやく〝本物の〟日本人になったのは40歳のときのことです。日本アマチュアボクシング連盟への加入が決まり、日の丸を背負う覚悟を示したかった。終戦の日、父が日本を選んだあの日、同じ気持ちだったのかなと、今では理解できます。

Writer's note

戦争の明暗を分けた原爆開発

今はどんなに遠くの人とでもメールや電話でやり取りができます。だからこそ、山根さんの話にあったとおり、伝書鳩が伝達ツールだったなんて信じられないかもしれません。でも当時は、テレビどころかラジオも固定電話も一般の家庭にはありませんでした。新聞社は取材先からの情報に伝書鳩を使っていたと聞きます。会社の屋上に鳩舎を作り、鳩の世話をする専任スタッフもいたとか。さらに1970年代まで読売新聞と朝日新聞は同じ銀座に本社を構えていたので、鳩が間違えて隣の新聞社の鳩舎に入ってしまったら大変、なんて笑い話もあったそう。1990年代に入っても、新聞社の会議で「伝書鳩を飼うべきだ!」と熱弁を振るった社員がいたといいますから、そう遠い昔の話ではありません。

この本でお話を聞いた方々にも目撃された方がおられましたが、1945年8月6日に広島、9日に長崎に原爆が落とされました。原爆で亡くなった方は広島で約14万人、長崎で約7万人といわれています。たった一発の爆弾で、恐るべき威力です。しかも原爆が発する放射線を浴びると、じわじわと全身の機能が停止し、さまざまな病気を引き起こします。このような恐ろしい新型爆弾ですが、核分裂で莫大なエネルギーを得られるという研究論文が初めて発表されたのは1938年。ドイツの科学者によってでした。すでにナチスが台頭していたので、アメリカは「ドイツがこれを武器にしたら大変だ」と考えました。そして、ルーズベルト大統領は1941年に原爆開発(マンハッタン計画)がスタートし、1945年7月には世界で初めての核実験を成功させました。その後、日本はその原爆を落とされ、多くの命が失われ、同時に多くの人たちが苦しむことになりました。一方、日本もアメリカとほぼ同時期に原爆開発をスタートしましたが、戦局悪化にともなう物資不足が障害となり、終戦3カ月前に開発を断念した経緯があります。

アメリカが原爆開発を強力に推進したのには、大きな理由がありました。国民にとって魅力的な国(=強い国)でなければ優秀な人材は国外へ逃げてしまう。そして未来を見通し、何が重要なのかを理解して力を注ぐことが重要であるとわかっていたのでしょう。原爆は二度と使われてはなりません。しかし、当時のアメリカの、先を見通す力からは学べるものもあるかもしれません。

COMMENTARY

辞書

日本の植民地①

【Keyword】韓国併合

「日帝《にってい》36年」という言葉は、朝鮮半島の人々が日本統治《とうち》時代を指して、怒りや悲しみを含んで使う表現です。山根さんの話に登場した韓国併合とは、1910年に日本が大韓《だいかん》帝国《ていこく》（今の韓国と北朝鮮）を併合して統治した事実を指します。この併合によって、日本が敗戦するまで朝鮮半島は日本の領土、朝鮮人は日本国籍となりました。

韓国併合の背景は、明治維新にまでさかのぼります。明治新政府は1868年、李氏朝鮮《りしちょうせん》に王政復古《おうせいふっこ》を知らせる国書を送りますが、清（現・中国）を頂点とする伝統的な秩序に従う朝鮮は受け取りを拒否しました。ここから朝鮮を武力で征伐《せいばつ》すべきという「征韓論《せいかんろん》」が起こります。その後の日清・日露戦争は、いずれも朝鮮への支配権をめぐって争われました。当時の日本には、中国とロシアの脅威を防ぐためには朝鮮半島を支配しなければならないという考えがあったのです。日本は朝鮮総督府《ちょうせんそうとくふ》を置いて支配しましたが、朝鮮人の独立への意志は強く、「三・一運動」など多くの抵抗運動が起こりました。また、朝鮮人の名前を日本式に改める「創氏改名《そうしかいめい》」は、血統《けっとう》を重視する朝鮮人の誇りを深く傷つけました。

一方で、列強の一員であった日本に職を求めて多くの朝鮮人が渡ってきました。日本国内にいた朝鮮人は、1920年に3万人だったのが1930年には30万人となり、終戦時には戦時動員された労働者を含めて200万人にまで増えました。その後、1946年末までに150万人が帰国し、50万人が日本に残りました。それらの人々と朝鮮戦争の戦禍《せんか》を逃れて日本に渡ってきた人々の子孫が、今も在日朝鮮・韓国人として全国で暮らしています。

現在、朝鮮半島は韓国と北朝鮮に分かれていますが、これは日本の敗戦に際して、連合国が北緯38度線より北の日本軍はソ連に、南はアメリカに降伏《こうふく》するように命じたことがきっかけです。朝鮮半島の人々が今なお日本に厳しい態度をとる背景には、このような100年以上に及ぶ歴史があるのです。

朝鮮半島をめぐる当時の日本・清国・ロシアの対立を描いたビゴーの風刺画（1887年）

Episode

11

Akie Kusuda &
Kazuko Karashima

裕福な生活から一変
恐怖に怯える生活へ
満州で終戦を迎えた
姉妹の物語

PROFILE

楠田昭江

くすだ・あきえ／1929年生まれ／終戦時16歳

辛島和子

からしま・かずこ／1931年生まれ／終戦時14歳

製紙会社に勤める父について中国の青島《チンタオ》で育ち、1945年4月に家族で奉天《ほうてん》（現・瀋陽《しんよう》）に移る。玉音放送を聴いたのは奉天で、その約1年後に引揚船で京都・舞鶴港に到着した。

玉音放送を信じられなかった軍国少女

昭江　終戦のとき、私たち姉妹が住んでいたのは、満州（現・中華人民共和国東北部）にあった奉天という街の北陵区でした。その地区には、日本人のアパートが何十棟かあって、近所にも日本人家族のおうちが5軒ほどあったわね。みんな、助け合って生活していたんです。

1945年8月14日の夜、「明日、12時に大事な放送があるから、みんな聴くように」と、大人から聞かされたのを覚えています。当日は、みんなで私たちの家に集まりました。大人たちは「ひょっとしたら終戦のお知らせじゃないか」と思っていたかもしれませんが、私たちはなんの放送なのか、想像もつきませんでした。当日まで、工場でゲートル（すねの部分に巻く、布や革でできた被服のこと）を作っていましたから。

当時、学校で勉強ができる日は週に1回くらいしかありませんでした。毎朝登校すると学校にトラックが迎えに来ていて、そのまま工場へ向かうんです。8月14日までいつもと同じように作業をしていましたから、放送があると聞いても、「天皇陛下がどんな大切なことを言われるのかな」って、あまりピンと来ていなかったんです。

けれど玉音放送を聴いているうちに、すすり泣きは聞こえてくるし、大人たちがなんともいえない複雑な表情をしていて……。ようやく「ああ、戦争が終わったんだな」と、わかりました。放送を聴いたあと、私は開口一番《かいこういちばん》、「嘘だ、信じられない！」って叫んだ記憶があります。あのころは本当に、「日本は神の国だから、絶対に負けない」って思っていたのよね。完全なる軍国少女だったんです。

しばらくすると家の周りに中国の人たちが集まってきて、「何事だ？」って心配そうな顔でこちらを見ていた様子もはっきりと覚えています。

昭江　私たちきょうだいは、私が長女で、下に2つ違いの次女・和子、その下に長男の拓郎、そして校子、悦子の5人でした。父が「華北紙業協会」という紙の統制協会、今でいう製紙会社の理事長をしていた関係で、もともとは山東省《さんとうしょう》の青島に住んでいました。当時は、かなりいい生活をしていたと思います。青島は第一次世界大戦でドイツが接収《せっしゅう》した場所なので、ドイツ人が造った街なんです。私たちの家も、ドイツの人が造ったものだったんじゃないかしら。3階建てでね。周囲にはレンガ造りの家が並んでいて、とても異国情緒あふれた街だったんです。

和子 週末になると、予科練の教官だった人たちを家に招いていました。政府からの依頼で、そういう取り組みがあったんだと思います。泊めてあげる際にかかる費用は自腹《じばら》だから、裕福な家でなければ協力できません。母がすき焼きをしてあげたり、いろいろ歓待していたのを覚えていますよ。

青島に現在も残るドイツ風の街並み（风之清扬撮影）

うちに来ていらしたのは、山田光男さん、土屋誠さん、渡辺了さんって方だったわね。彼らはシャンソン歌手の淡谷《あわや》のり子さんが好きで、当時流行っていた『別れのブルース』なんかをよく聴いていましたよ。姉は、「渡辺さんは冷たい感じがして苦手」と言っていたけれど、ハンサムだったのよ。土屋さんは恥ずかしがり屋さんでね。3人とも海軍大尉で、学徒出陣で選ばれて来ていた方々だったから、育ちも良くて教養もあるし、優しい人たちでした。ちょうど乙女心の芽生える時期だったこともあって、彼らが来てくれることが私たちはうれしかったものです。

あるとき、3人が「いよいよ戦地に行くことになった。桜と共に散りたい」と、意気込んでいたことがありました。ところがひとりだけ、北海道大学出身だった山田さんは日本に帰って予科練で教えることになったと言っていたんです。「日本のためになれない。南の空で花と散りたかったのに」と泣いていたんです。その後、どうされたのかしらね……。もしご存命ならお会いしたいわ。

昭江　それからしばらくして、1945年2月に奉天に住んでいた伯母が亡くなり、母の実兄である伯父から「子どもの世話をする人がいなくて困っている」という知らせが届いたんです。

敗戦ムードが濃くなってきていましたし、父が戦地へ行き、不在にしていたため、母が子ども5人を抱えて奉天に引っ越すことにしたんです。

太平洋戦争で敵国から最も恐れられていた連合艦隊司令長官・山本五十六《いそろく》提督《ていとく》（元帥《げんすい》海軍大将）が1943年に亡くなってから、少しずつ状況が変わっていったように思います。古《こ》賀《が》峯《みね》一《いち》さんという方がそのあとに長官になったんですが、就任した翌年の1944年3月に亡くなってしまう。そのころにはもうアッツ島（1943年）やサイパン島（1944年）で玉砕《ぎょくさい》といったニュースがありましたから、戦局は不利になっていたのかもしれませんね。でも当時は、そんな風には思えませんでしたから、古賀提督が亡くなったときに、私は女学校の2年生だったんですけれど、教室でこんな短歌を作ったんです。

大君《おおきみ》の御盾《みたて》となりて散りませし　亡き聖将《せいしょう》に我は報いん

「天皇の盾となって亡くなってしまった誇り高い古賀提督のために、私は報復するぞ」という意味です。短歌なんて人生で2回目だったから訳もわからず書いたのだけれど、それが絶賛されてね。こんな内容の歌、今は作る人いないでしょう？　時代ですよね。

ちょうどそのころ、「陸軍少年飛行兵」（日本陸軍の航空兵科下士官となるために、10代の志願者から選抜されて、陸軍の航空関係諸学校で学んだ少年たち）に応募するって言い出した同級生の男の子がいてね。お母さまが泣きながら「やめてちょうだい、ユキヒコを止めて」って、何度も引き留めていらしたんです。でも彼は、まっすぐな目をして「僕は日本のために死ななきゃ」「僕は死んで帰ってくるんだ」と、意志を変えなかった。彼が出発するときには、みんなで飛行場まで見送りに行きました。そこにいた少年たちは、同じ歳ごろとは思えないほど、みんなピシッと並んでいました。軍事訓練は厳しいものだったようで、少しでも規則に反すると上官がほっぺたを叩くんですよ。その様子を見て、「大変だな」と思いましたね。

敗戦で一変した中国での暮らし

昭江　敗戦を迎えて、生活は一気に崩れていきました。玉音放送を聴いたすぐあとだったと思うけれど、母が上等な毛糸で編んだセーターを洗って干していたら、中国人に盗られてなくなってしまったことがあったんです。それまで、物を盗まれるなんてことはなかったんですよ。中国の人たちからしたら、日本が負けたとわかったとたんに、それまで我慢していた気持ちが爆発したのかもしれませんね。

それからは物騒で、夜も寝られませんでした。中国人なのかロシア人なのかわからないけれど、毎晩のように、窓ガラスを叩いて「開けろ、開けろ」って言ってくる人がいる。本当に恐ろしかったですよ。年ごろの女の子がいるとバレたら何をされるかわからないからと、美人の同級生には、用心のために長い髪を丸坊主にしていた人もいました。

ある日、そのお友達が「ここは恐ろしいから、逃げようと思っている」って言うんです。線路を南下して大連《だいれん》に行くんだと。リュックを背負って、歩いてですよ。奉天から大連までは何百キロメートルもあるから、たどり着けたかどうかはわかりません。

私たちも、顔に鍋底の炭を塗ったりして、地味な着物を着て生活していました。そんなことをしたところで、若い娘だということは見破られていたと思うけれど、そうしないと恐ろしくてね。ロシア人なんて、土足で家に上がってくるんです。私たちの万年筆や、母がクリームの中に隠していた指輪までほじくって持っていった。

そんな中、「女性を差し出せ」という話があったようです。若い女性たちが怯えていると、慰安婦《いあんふ》のリーダーだった方が「私がロシア兵の相手をします」と手を挙げてくださって。その女性は当時40歳になるかならないかくらいで、日本の兵隊さんの相手をしていた人でした。彼女が数名の慰安婦仲間を引き連れて、私たちの代わりに犠牲になってくれたんです。実際にロシア人の相手をしたのかはわからないですが、とにかくそれで私たちは助かったんですよ。

奉天の家には、終戦後1年くらいいたでしょうか。ようやく移動ができるようになって、母と私たちきょうだい5人で家を出ることになったんです。ふとん袋でリュックを作って、いろんなものを入れてね。母は一番下の妹を胸に抱き、背中に荷物を背負っていました。私たちが荷物をまとめて家を出ると、中国人が「待ってました！」とばかりにワーッと中に入っていって、ふとんから何から、残してきたいろんなものを持っていっていましたよ。

奉天を出ると、私たちはまず錦州《きんしゅう》市の葫芦島《ころとう》というところに、「無蓋貨車《むがいかしゃ》」という牛や豚を運ぶような、屋根のない貨車で向かいました。当然、客室があるわけではありません。顔はススだらけになるし、襲撃されるかもしれないから灯りはつけられないし、本当に必死でした。

和子 私は生理があるような年でしたから、それが一番大変。当時は今のような生理用ナプキンなんてありませんから、私たちは脱脂綿を使って押さえていたんですが、脱脂綿《だっしめん》だってそんなにたくさんあるわけではありません。バイ菌が入るといけないから肌に触れるところだけ脱脂綿を敷いて、あとはふとんの綿で代用しました。

あの体験があるからこそ、地震などの非常時には、食べ物よりもまず生理用品を調達してあげてほしいなと思いますね。女性たちにとっては、大きな問題ですものね。

昭江 錦州では、船が到着するまでの間、日本人の社宅だった小さい部屋に、1畳につき2、3人程度が押し込められました。リュックサックを背負ったまま、足なんて絶対伸ばせない。30代半ばの班長さんが仕切ってくれて、炊き出しの人を何人か決めて、コーリャンというモロコシや粟でおかゆを作ってくれました。粟ご飯は喉に詰まっておいしくなかったけれど、ひもじいのをしのぐことができました。日本人は本当に偉いなあと思うんですけど、班長さんもしっかり管理してくれて、みんなもよく従っていましたね。おかゆのようなものしか出なかったけれど、食事もちゃんと担当を決めて、手分けして作っていましたからね。中国にいて、あのときほど日本人が団結したことはなかったんじゃないかなと思います。もしあの班長さんに会えたら、お礼を言いたいくらいよ。

日本からの引揚船・興安丸《こうあんまる》が迎えに来てくれることになり、錦州から港のある葫芦島まで何十キロメートルもある道のりを歩いて移動しました。母は小さい妹を抱っこしていましたし、弟や妹はまだ小さかったので、私が一番大きな荷物を背負ってね。途中で休憩するときも、腰を下ろしたら持ち上がらなくなるから、土手に寄りかかるだけ。そうして港に着いて船が見えたときは涙が出ましたね。

船が黄海を越えて玄界灘に入り、沖合を走るようになると農家の建物が見えてくるんです。それを見て、「日本だよ、日本に着いた!」という声が聞こえてきて、みんな寝ずにそれを眺めていました。あの時はどれくらい泣いたかわかりません。終戦後、生活が激変して追われる身になり、そこに至るまで本当に苦労しましたから、うれしくて仕方ありませんでした。そうして夜が明けたころに、京都の舞鶴港に入ったんです。

和子　ようやく日本にたどり着いた時、私は回《かい》帰《き》熱《ねつ》（ダニやシラミによって媒介される細菌の一種・スピロヘータによる感染症）にかかっていました。熱が上がったり下がったりを繰り返してね。末の妹の悦子は下痢続きで亡くなるかもしれないという状態でした。私は菌があるから入院することになって、母は校子と拓郎を連れて鹿児島へ先に帰り、姉が一緒に病院に残ってくれたんです。悦子は、ガリガリに痩せて骸《がい》骨《こつ》みたいになってしまってね……。一度は回復

復元された引揚桟橋。ここから多くの引揚者が日本の地を踏んだ（筆者撮影）

したものの、帰国から2年後、4歳のときに破傷風《はしょうふう》であっという間に亡くなりました。

舞鶴の病院では、食事は入院している私にしか出ません。とはいっても、病院の食事はおかゆにお醤油がついているだけで、毎日そればかり。姉は日本政府からもらった1000円（現在の2万円弱程度）を握り締めて闇市《やみいち》（Episode14参照）に行き、ところてんを買って飢えをしのいでいました。

何日か経ったころ、ドアを開けて病室で寝ていたら、廊下を父が横切ったんです。ずいぶん痩せていましたけど、すぐにわかりました。当時、引揚者の名簿が新聞にのっていたので、父はそこから私たちの名前を見つけたんだそうです。父が戦地に行って以来会っていませんでしたから、日本に先に帰って元気にしていたことに本当に驚いて……。うれしかったですね。

父は母たちよりも先に鹿児島に帰っていたんですが、リュックサックに飯ごうや食べ物をたっぷり詰めて来てくれて、私が退院するまで1週間ほど、つきっきりでそばにいてくれました。病院の近くの丘で枯れ木を集めて飯ごうでご飯を炊いてくれてね。それはもうおいしかった。

父は母ときょうだいたちとは行き違いになってしまって会えなかったので、姉と私と悦子を連れて鹿児島に帰り、ようやく家族が再会できたんです。

少年飛行兵の悲しい行く末

昭江　その後、私たちは鹿児島にいる伯父の家に居候《いそうろう》することになりました。そこで何年か経ったころ、少年飛行兵になったユキヒコさんから葉書《はがき》が来たんです。「リメンバー・ミー、僕のこと覚えていますか？　恥ずかしながら命ながらえて日本に帰ってきました。今、法政大学に行っています。また機会があれば会いたいですね」って。でもその時は会えず、お手紙だけのやり取りがしばらく続きました。

終戦から30年ほど経ったころ、私たちは姉妹で青島に行く機会があったんです。そこで偶然、ユキヒコさんのお姉様と再会して。懐かしい話で盛り上がったんですが、「弟さんはどうしていらっしゃいますか？」と聞くと、お姉さんの顔がものすごく暗くなってね。同席していた方が、私の袖を引っ張るんです。実は、ユキヒコさんは日本に帰ってから自殺されたらしくて……。なんでも帰国後に、青島で一緒だった女性に思いを告げたら、「ほかに好きな方がいるから」と断られて、それを苦にして自殺したっていうんですよ。10代のころに「日本のために死のう」と思っていた人が死にきれずに帰国して、大学に入って、幼なじみに恋をして、最後は失恋で亡くなるなんて……小説みたいな話でしょう？

満州にいたころを振り返ると、みんな本当に一生懸命頑張って生きていたなと思うんです。満州を開拓して、日本人の生活を豊かにしたいという思いがありました。でも戦争に負けて、みんな途中で死んだり、殺されたりしてしまった。満州でのことは、日本政府に賠償《ばいしょう》してもらいたいとずっと思ってきました。でももうあれから75年以上も経ってしまった。あのころのつらい経験も、すっかり風化してしまいましたね。私は92歳、和子は90歳、拓郎は87歳、校子は79歳。元気で静かに、仲良く余生を送っています。

Writer's note

満州と女性たちの戦いを垣間見る

「満州国は本当にあったんだ!」

満州という国があったことは、知識として知っていました。マンガ『はいからさんが通る』(大和和紀)にも出てきたし、映画『ラストエンペラー』は何度も観ています。映画の主人公、清朝の皇帝だった愛新覚羅溥儀《あいしんかくらふぎ》は、満州国の皇帝になりました。それでも今は跡形もない満州という国は、私にとってラピュタというか、アトランティスのようなイメージだったのかもしれません。けれど、こうして戦時中のお話を聞いていると「満州から帰ってきた」という方がたくさんいらっしゃるのです。

お2人のお話は、女性らしい視点が多かったのも印象的です。例えば和子さんの生理の話。思春期の繊細な年ごろで、知らない人も多く、プライバシーのかけらも守られない中、生理になることがどれだけ苦痛か、想像するだけで苦しいです。

体が本調子でないこともつらいですが、人に知られたくない不安や恥じらいもあったと思います。生理用品が手に入らないかもしれない不安は、どれほど大きかったでしょうか。和子さんの「地震のときなんかの非常時に、食べ物よりも先に生理用品をあげてほしいって思うんです」という言葉は、胸に迫るものがありました。

私が子どものころ、テレビでよく中国残留孤児の問題がテレビなどでも取り上げられていました。中国残留孤児とは、終戦時に、日本へ帰ってくることができずに取り残されてしまった人たちです。

当時、中国は文化大革命という運動の最中で、日本人というだけで差別され、スパイだと疑われて危険な目に遭《あ》うこともあったようです。そのため、身元の確認ができた人を中心に、日本に帰ってくる方がたくさんいたのです。

相当な苦労をされてようやく日本に帰ってきても、日本語がしゃべれず、日本の生活になかなか馴染《なじ》めなかった方がたくさんいらっしゃったと聞いています。そしてその問題は二世、三世と続いているようです。一瞬の満州の栄光と引き換えに、どれだけ多くの悲劇を生んだのでしょうか。そして戦争の爪痕がこんなにも長く尾を引いていることに胸が痛みます。

COMMENTARY

日本の植民地②

【Keyword】満州国

「満蒙は日本の生命線」という言葉は、戦前・戦中における日本の安全保障に対する基本的な考えを表しています。日本は1905年、日露戦争に勝利して満州を支配して、商品市場や原料供給地としました。さらには1917年にロシア革命を受けてソ連が成立すると、共産主義の拡大を防ぐ軍事的な意味合いが加わりました。

楠田さんの話に登場した満州国とは、関東軍（満州に派遣されていた日本軍）が起こした「満州事変」によって、1932年に建国された「国」です。元首には清朝最後の皇帝である溥儀《ふぎ》が就任し、満州族、漢族、蒙古族、朝鮮族、日本人が共存する「五族協和《ごぞくきょうわ》の王《おう》道楽土《どうらくど》」を建国理念としました。しかし、1933年に国際連盟が満州国の正当性を認めないリットン報告書を採決すると、日本は国際連盟を脱退しました。以降、日本は国際社会から孤立し、ドイツ・イタリアが結成した枢軸《すうじく》に加わっていくことになります。

一方でリットン報告書は、満州における日本の権益を認め、不毛の荒野に多くの中国人が住むようになったのは日本の成果であるとも報告しています。日本は満州をアメリカのような移民国家にしようとしたといわれており、実際に1908年に1583万人であった満州の人口は、満州国建国時には2928万人、1942年には4424万人にまで急増し、民族の人口比も満州人（満州族、漢族）3888万人（95%）、日本人80万人（2%）、朝鮮人130万人（3%）となりました。

上述の「王道楽土」の言葉が表すとおり、満州国は多くの日本人にとって憧れの土地であったのです。南満州鉄道が世界に誇った特急列車「あじあ」、満州映画協会の看板スター・李《リ》 香蘭《コウラン》、首都・新京の近代的な街並みと見渡す限りち地平線が続く大地……。

しかし、理想とは裏腹に満州国は事実上、日本が支配する国でした。政府の主要なポストは日本人が占め、政治は関東軍の指導下で行われました。1941年の日米交渉でアメリカが中国大陸からの日本軍の撤退を求めましたが、日本人の中に満州国は日清・日露戦争以来の日本人が血を流して獲得した生命線であるという意識が強く、日本は交渉を打ち切らざるをえませんでした。日本は満州を守ろうとしてアメリカとの戦争に入っていったともいえます。

Episode

12

Junichi
& Kyoko

ソ連軍侵攻から
引き揚げまでの1年
満州で恐怖と混乱を
目の当たりにした兄妹の物語

（兄）**順一**

じゅんいち／1932年生まれ／終戦時12歳

（妹）**京子**

きょうこ／1936年生まれ／終戦時8歳

兄は満州（現・中国東北部）の撫順《ぶじゅん》市、妹は新京《しんきょう》（現・長春市）生まれ。建築技師の父はハルピンに単身赴任。母と兄妹は新京にいた。1945年8月9日、ソ満国境からソ連軍の侵攻が始まる。その進駐で街は根こそぎ略奪され、殺人や婦女暴行が頻発した。ソ連軍撤退後、中国国民党軍に引き継がれるが、国民党軍と中国共産党軍との激しい長春争奪戦が始まる。1946年、国民政府の統治下で、日本人送還が開始され、9月6日、一家は同じ町内の一団とともに新京を発つ。

最先端だった満州・新京での暮らし

順一　祖父は日本から大連《だいれん》に渡り、女学校長をしていました。その祖父は早くに亡くなったので、写真でしか知りません。親父は大連の工業学校を出て建設会社に勤めていました。終戦当時は、列車で北に8時間余りのハルピン事務所に勤務していたんです。

京子　母は父親を早くに亡くしました。女学校を出てすぐに、上海航路の客船のパーサーだった大連の伯父の家に身を寄せたそうです。そこで、父とお見合いをして結婚したんですね。

順一　僕は撫順で生まれたので、名前は撫順からとって〝順〟一。石炭の露天掘り《ろてんぼ》り（表面の土や岩石を取り除いて渦《うず》を描くように地下に向かって掘っていく採掘《さいくつ》方法）で世界一といわれた炭鉱の街です。そのころはまだ、周辺に匪賊《ひぞく》（現地人による武装集団）が出るような土地だったと聞いています。

京子　私は首都だった新京で生まれたので、〝京〟子です。当時住んでいたのは、父の会社の社宅。赤レンガ造りの2階建てで、1棟に4軒ずつ、2棟あったから8戸の社宅でした。外観は洋風ですが中は日本家屋で、畳の部屋が3部屋と、玄関は板敷部分を合せて6畳あまり、台所も同じほどありました。

順一　新京は、日本が占領した中国東北部に、満州国の首都として建設されました。都市計画に基づいて整備され、満州中央銀行、関東軍総司令部など、軍や官公庁の堂々たる建物群、大きな広場や公園がいくつもありました。

京子　各家庭には電気、水道、ガスも通っていたし、トイレも水洗でした。暖房は蒸気方式で、窓の下の壁面にラジエーターがついていました。北海道の旭川と同じくらいの緯度なので、冬の寒さは厳しかった。国民学校（小学校）に行くのに、毛皮付きのオーバーコートを着て、ズボンや手袋も2枚重ねていました。厚手の毛糸の帽子にはマフラーが付いているんだけど、自分の吐く息で、まつ毛にも帽子にもたちまち氷の球ができてしまうの。その氷でまばたきもしにくいほどでした。

家の窓は二重になっていたんだけど、氷点下《ひょうてんか》20度を下回るような朝は、そこに妖精でもやってきたかのような、美しい羊歯模様《しだもよう》の氷がびっしり張っている。父と真冬に銭湯に行った記憶があるんですけど、外へ出た途端、タオルがビーンと凍って板のように立ってしまうんですよ。

満州人（現地人）に対する日本人の支配的立場

順一　社宅の暖房は、満州人の劉《リュウ》さんというボイラーマンが冬になると地下のボイラー室に住み込んで、そのきつい仕事をしてくれたんですね。朝は6時前に、各家庭のラジエーターに蒸気が通りだして、チンチンと音がしてくる。それを合図にバルブをひねると、熱い蒸気が上がってきて部屋が暖まるんです。

劉さんは大きな蒸気式石炭ボイラーの脇の、わずか畳1枚分のスペースで寝起きしていました。家財道具らしいものは、垢じみた綿入れふとんと洗面器、薬缶や茶碗くらいだった気がする。大きな体の優しい人で、僕はよく地下室に遊びに行っては、劉さんの家族や満州の遊びの話を聞いていました。劉さんはまた恩義に厚い人で、終戦後まだ混乱している時期の旧正月に、キジの肉やきび粉の餅を持ってきてくれたこともあった。

京子　月餅《げっぺい》をもらった記憶もあるわ。

順一　子どもの眼には、満州人は日本人の下で使われる存在のように見えていたんです。苦力《クーリー》（肉体労働）は満州人がやるものだと思っていました。だから日本に引き揚げてきて、列車の窓から道路工事の様子を見たときは、「自分と同じ日本人が肉体労働をしている」と本当に驚いたんです。

新京に住んでいたころ、近くに軍属のおじさんが住んでいました。ある日「小盗児《ショウトル》を捕まえたから白状させる」と言うので、みんなで見に行ったことがありました。小盗児とは泥棒のことで、うしろ手に縛られた若い満州人でした。そして「白状しないから」と、おじさんがその若者の口にホースを突っ込んで水を流し込み始めたんです。たちまち腹がパンパンに膨らんで、最後には口や尻から汚れた水が噴き出してきた。思わず眼を背けました。そういうことは珍しくなかっただろうけれど、終戦後に日本人が報復された原因になっていると思います。

1945年8月9日からソ連軍の侵攻が始まりました。そのころすでに国境の警備を満蒙開拓団《まんもうかいたくだん》や満州開拓青年義勇隊《ぎゆうたい》に押し付けて、関東軍のほとんどが南下してしまっていました。「世界最強」と謳っていたのにね。その開拓団の青壮年もすでに軍に駆り出され、残ったのは老人や女性、子どもだけ。多くの開拓団はソ連軍の攻撃されたり、満州人に報復されたりしました。自らの手で肉親や仲間を殺し、建物に火を放って自殺するという悲惨な事態が至るところで起きたと聞いています。

軍関係者や役人はいち早く情報を得て、トラックや列車に

当時のソ連軍の戦車

家財を乗せて街から逃げ出し始めました。その列車は南下したまま戻ってこなかったから、僕たち一般市民はソ連軍侵攻を知っても街に留まるしかなかった。

そうした中で、僕たち家族が父の会社の新京支店に避難したのは、8月12日ではなかったかな。2階の事務室にはコーリャンの茎で編んだアンペラというむしろが敷かれ、家族が身を寄せ合って震えていました。その夜、満州国陸軍軍官学校（士官学校のこと）の生徒が決起して、日本人が襲撃されるという噂が流れてきたんです。僕たちは事務所の入口に椅子やテーブルでバリケードを築きました。いざというときのために自殺用の赤い薬包紙に包まれた青酸カリが配られて、怯えながら一夜を過ごしたんです。翌日、事態が少し落ち着くと、空き家になっていた軍関係者の住宅に分散して入ることになりました。

新京にあった関東軍総司令部

京子　そこへ、奉天《ほうてん》（現・瀋陽《しんよう》）に出張する途中、新京に寄った父が来たのよね。とても心強かった。でも父はハルピンに戻らねばと、毎日、家族との別れの水盃《みずさかずき》をして駅に向かうんです。でも北へ行く列車が来ないので、結局また家に戻ってくる。その繰り返しでした。私たち家族にとっては幸運でしたね。

順一　玉音放送は、冷たい雨の降りしきる中、支店の2階に集まって聴きました。子どもには難しい言葉ばかりで意味がわからなかったけど、大人たちは声を押し殺して泣いていた。その後、数日で社宅に戻ったんですが、家の中がめちゃくちゃに荒らされているんです。満州人の仕業もあったでしょうが、それだけではなかったんです。避難できなかった知り合いの日本人家族が盗みに入ったんです。盗んだものを返してくれと言うと、その奥さんが「あんたらが捨てていったものなんだから、文句を言う資格はない」とバッサリ。長年の家族ぐるみつきあいが、一瞬で失われてしまいました。その奥さんは、しばらくしてソ連軍将校の衣服の縫製や修理を始めたんです。ソ連軍将校と一緒に馬車を乗り回していて、周りからは「露助の○○」と陰口を言われていました。露助というのは、ロシア人の蔑称《べっしょう》です。今振り返れば、その奥さんは戦後の混乱の中、そういうふうに生きざるをえなかったんでしょうね。

ソ連侵攻で崩壊した豊かな満州国

順一　ソ連軍が新京に入ったのは、8月20日ごろだったと思います。4月にベルリンが陥落しドイツが降伏しました。それで欧州戦線にいたソ連の囚人部隊が、極東に転戦してきたんです。獰猛《どうもう》な兵士たちの、すさまじい略奪や婦女暴行が始まりました。抵抗してマンドリン銃で撃ち殺された人も大勢いました。僕たちは窓に板を打ち付けて閉じこもっていたけど、そんなものでは防ぎきれない。我が家にも、裏口の窓を破って鍵を開け、兵士が2人押し入ってきたことがあります。汚れた粗末な軍服にフェルトの長靴、見上げるような体格の男たちだった。

京子　「時計など見たこともない連中だ」という噂があったわね。「トッケー（時計）」と、片言の日本語で要求してきました。用意していた壊れた腕時計を渡すと、逃げるように出ていきました。

順一　略奪はどんどんエスカレートして、夜中に堂々とトラックで押しかけてくるようになりました。角地にあった大きな邸などは毎晩のように襲われて、根こそぎ奪われました。我が家も日中に2度侵入され、蓄音機、ミシン、置き時計、電気スタンドなどを持っていかれた。当時、うちには国境から逃げてきた父の会社の社員の奥さんと、ご主人が出征していた留守家族の奥さんと幼い子どもたちが身を寄せていました。「幼児のいる母親は暴行されない」といわれていたので、それぞれが泣き叫ぶ子どもたちを膝に抱えていたんです。

京子　9月になると国境の開拓団などから身一つで逃げてきた人たちが、新京にたどり着きだしました。寒さが近いのに着る物もなく、麻袋《マアタイ》というジャガイモや穀物を入れる麻の袋をまとっただけの人も大勢いて、垢にまみれ痩せ衰えた恐ろしい姿でした。避難民たちは、私たちの家の前に2棟あった南満州鉄道（満鉄）の大きな独身寮にも住むようになりました。長く厳しい徒歩の避難行で衰弱しきっている上、栄養失調で抵抗力もないんです。赤痢や疫痢などの伝染病が蔓延し、毎日のように大勢亡くなりました。生きている人も着るものがないから、遺体から服を取って埋めたとも聞いています。

順一　やがて広い独身寮の庭は、遺体を埋めた盛り土だらけになりました。さらに寒さが厳しくなると地面が凍り、つるはしでも掘り返すことができない。盛り土と盛り土の間に「むしろ」を掛けて遺体を置くようになった。それが春になってからどう処理されたのかは、まったく記憶にありません。

祖国日本への苦難の道のり

京子 そのころ、満鉄独身寮のテニスコートのあった場所に青空市場ができました。どこから来たのか、それまで滅多に配給のなかった白米や砂糖、油が市場にあふれていたわね。新京の住民たちはなんとか売り買いができましたが、それでも白米を買える人は少なかったんです。それまで「満州人の食べ物だから」と見向きもしなかったコーリャンも食べることになりました。精白《せいはく》されていてもコーリャン飯は消化が悪くて、下痢を繰り返しました。野菜のカブをリンゴ代わりにして食べたり、キビ粉をパンケーキのようにして焼いて食べたこともあります。

順一 満州人の仮設小屋ができて、その食べ物の店では避難民の日本人女性が働き始めました。

酒やタバコを売っていたのは、元青年義勇隊の若者たちでした。そこにも、ひまわりの種をかじり、殻《から》を吐き散らしながらソ連兵がやってくるんです。「ダヴァイ（寄こせ）」と言って強奪する。女性の将校もたくさんいて、短いスカートに太く血色のいい太もも、赤革の長靴を履いていた。彼女たちも代金を払うのを見たことがありません。ソ連軍の発行したケバケバしい軍票《ぐんぴょう》（戦争中に軍が占領地で使っていた擬似紙幣）は貨幣価値が低く、満州中央銀行の紙幣が流通し続けていた。

しばらくすると、一般の日本人も青空市場で衣類や手作りの食べ物などを売り始めました。そこに子どもたちも加わるようになり、僕も机のひき出しを駅弁売りのように紐で肩から掛け、母たちの手作りの餃子や足袋を売りました。「餃子、いかがですか。おいしい餃子です」と売声を上げてね。初めは恥ずかしかったけれど、すぐに慣れました。子どもたちにとっては、生活のためというより、自分が大人になった気分の遊びだったのかもしれませんね。

順一　ソ連軍撤退後、新京でも町内単位で引揚団が編成され、日本人の引き揚げが始まりました。輸送は無蓋貨車《むがいかしゃ》になると聞いて、各家庭から帯芯を集めて縫い合わせ、大きな雨除けのシートを作りました。もちろん当時はビニールやプラスチックなどはありません。食料として買い集めた堅《かた》パンも、油紙《あぶらがみ》に包むのが精いっぱい。それに、持っていくことができたのは、ひとりにつきリュックサックひとつです。だから幼児にも自分の着替えなんかを背負わせていました。貴金属や宝石、写真は持ち出しを禁止されました。途中たびたび検問があって、容赦なく取り上げられるんです。場合によっては、一団全員が足止めを食ったという話もありましたね。

京子　私たちも終戦の翌年、1946年9月6日に新京を離れることになりました。リアカーに荷物を乗せ、草原の中の南新京の貨物駅に集結しました。父は自分も疲れているのに、病人やおばあちゃんをおぶってあげたりして……。父はその前からずっと力仕事をしてくれていました。引き揚げるころは水道もガスも止まっていたから、父が井戸から天秤棒でバケツを提げて、何往復もした姿を今でも思い出します。

順一　親父は体も大きく、もともと体重は80キロ以上あったと思う。それが引き揚げ用の証明写真を撮った時は、1年間の心労で別人のように痩せ、60キロほどに見えました。

京子　葫蘆島で待っていたのは老朽貨物船だったわね。日本にはもうそんな船しか残っていなかったんです。船が岸壁を離れると、誰からともなく「万歳」という声が上がり、それが波のように広がっていきました。

順一　だだっ広い船底に、頭のつかえそうな3段棚が作られていて、そこに目一杯人が押し込まれました。船腹の小さな丸窓から見える、青みどろ色の海の中が見えて恐ろしかったですよ。食事は、朝晩はコーリャンまじりの飯と、ホンダワラの塩汁。昼は子どもにだけ米のお粥が出ました。そんな状況で台風の季節の黄海を渡り切ったのは奇跡ですね。

京子　引揚船には食料を積んであったけれど、それを横流ししている人がいたんですよね。とにかく食べものがないの。自分たちだけでこっそり缶詰を食べる一家がありました。「社長さん」と呼ばれたようなおじさんまでが、「女に任せたらズルをするから」と、コーリャン飯の桶を抱え込んで、しゃもじも離さないんですよ。ほかの人たちが信用できなかからと、自らつぎ分けていた姿も忘れられません。

ようやく佐世保の沖に入ったと思ったら、今度は1週間ほど検疫がありました。伝染病のチェックだったのでしょうが、ずっとあとになって聞いた話では、ソ連兵に暴行された女性の身体検査も目的のひとつだったそうです。

順一　そんな船中から眺める祖国の海や山の姿に、みんな涙を流していました。大陸育ちで、ずっと海に憧れていた僕は、海底から湧き上がるようにして漂う無数の水クラゲに、すっかり心を奪われていました。

ポンポン船に分乗して、佐世保近郊の小さな船着き場に上陸しました。引揚援護局の用意した宿舎に入り、そこで振る舞われた雑炊が本当においしかった。

少年期の僕は、終戦後の混乱の日々から引き揚げを終えるまで、人間の卑《いや》しさ醜《みにく》さを嫌というほど目にしてきました。でもこの歳になると、それもまた人間なのだと考えられるようになりました。しかし、今なお世界中で争いが続き、悲惨な難民や死者が増え続けている。戦争は、本当に愚かな行為です。なくなる日が来るよう強く願わずにはいられません。

Writer's note

戦後の引揚者たちの置かれた立場

終戦になると、前代未聞の民族大移動が始まりました。満州や朝鮮、南方を含め、海外にいた日本人は660万人。その人たちが一斉に日本本土を目指したのです。疎開していた人たちは自宅のあった都市部に戻り、都市部の人たちは田舎に食料を買いに出かけました。自動車など民間人は持っていない時代です。移動の汽車はいつでも大混雑だったようです。栄養状態も衛生状態も良くない中で、大混雑の中の移動。ジフテリア、赤痢、腸チフス、天然痘、コレラなどの感染症が大流行しました。GHQは感染拡大防止のためにワクチンやDDT（殺虫剤）を海外から運ばせたそうです。引揚船で到着した人たちをはじめ、人が集まる場所で重点的にDDTの白い粉をかけられたと聞いています。

引き揚げに指定された港は、博多、佐世保、舞鶴、浦賀など10港。佐世保市にある浦頭《うらがしら》引揚記念資料館や舞鶴引揚記念館では、引き揚げやシベリア抑留について詳しく知ることができます。こうした施設では体験者の方が見学に来ていたり、ボランティアでお話してくださる方がいるので、そこでも何人かの方にお話をしていただきました。引き揚げを受け入れる本土の人たちも苦しい状況だったとは思いますが、当時の舞鶴市長は市民に回覧で、こんなことを言っています。「御茶の接待や駅頭の挨拶や慰安演奏、打上花火、大歓迎板や歓迎塔だけではありません。（中略）市民の一人一人が引揚船を迎へられた時、引揚者が五条橋から駅へ行進する時、トラックで通過する時、引揚列車が通過する時に合はれました際は海上であつても、道路上であつても或《あるい》は田畑で耕作をして居られる時でも手を振りハンカチを振り、帽子を振って頂く事が一番同胞を喜ばせることでありますから、御互に実行致したいと思ひます」。また、最初だけではなく変わらない気持ちで迎えてほしいともお願いしています。舞鶴は引揚者の受け入れ数は博多、佐世保に続いて3番目ですが、1958年の終了時まで受け入れを続けました。引き揚げというと、舞鶴を思い出す方も多そうです。また引揚港で看護に当たった方もたくさんいらっしゃいました。中には感染して亡くなった方もいたそうです。コロナ禍で治療に奮闘する医療従事者と姿が重なります。

アメリカ大陸の開拓や第一次世界大戦にも感染症が大きく関わっています。人の交わるところに感染症はつきもののようですが、戦争も感染症も、今の私たちなら防ぐことができるのではないでしょうか。

COMMENTARY

引揚者の惨状

【Keyword】ソ連軍の侵攻

日本とソ連は1941年に締結《ていけつ》した日ソ中立条約《ちゅうりつじょうやく》で、5年間にわたってお互いに侵略《しんりゃく》しないことを取り決めましたが、ソ連は1945年2月のヤルタ会談で対日参戦を密約《みつやく》し、同年4月に日本へ条約《じょうやく》の破棄《はき》を一方的に通告しました。

順一さん、京子さん兄妹の話に登場したソ連軍の侵攻とは、このような動きの中で戦争の準備を進めてきたソ連軍157万人以上が8月9日、満州と樺太《からふと》、千島列島《ちしまれっとう》、朝鮮半島北部に侵攻した事件です。日本は当時、ソ連を通じて連合国との講和《こうわ》を考えていたので、寝耳に水であり、大きな衝撃《しょうげき》を受けました。おもな戦場となった満州には精鋭《せいえい》といわれた関東軍がいましたが、太平洋戦争が始まると多くの兵力が南方に移動したので、兵力68万人にまで縮小しており、ソ連軍との戦力差は歴然《れきぜん》としていました。関東軍は持久戦に持ち込むため、総司令部を新京（現・長春市）から朝鮮との国境に近い通化に移しましたが、この方針が大きな悲劇を生みます。

当時の満州には155万人の日本人がいましたが、男性の大半が関東軍に臨時招集されたため、街や開拓地には女性と子ども、老人だけが残されていました。そこにソ連が大兵力《だいへいりょく》で侵攻してきたのです。残された人々は死に物狂いで逃げ出しましたが、ソ連軍や暴徒と化した中国人からの暴行、略奪、虐殺が相次ぎ、特に女性への性被害は凄惨《せいさん》を極めました。そのためソ連軍に包囲されると、各地で集団自決《しゅうだんじけつ》が相次ぎました。

ソ連軍の侵攻によって、満州で犠牲《ぎせい》になった日本人は軍民あわせて24万5000人にのぼり、これは広島への原爆投下や東京大空襲による被害（Episode08参照）を上回るものであり、太平洋戦争を通じて最大の悲劇であったといえます。そのほか避難の最中に肉親と離れ離れになって、中国人の妻になったり、中国人の養父母に育てられたりして、やむを得ず中国に残ることになった中国残留日本人問題など、今も尾を引いています。

順一さんの話では、満州国と住民を守るはずだった関東軍が住民を見捨てて、軍人や官僚、その家族だけが逃げ出したと回想されています。順一さんにとっての真実はその通りです。しかし、関東軍が総司令部を移動させたのは奇襲《きしゅう》を受けたので態勢を立て直し、持久戦に持ち込むことが目的でした。軍人や官僚が真っ先に逃げたように映った背景にも、そのような事情があったのです。だからといって、関東軍が責を免《まぬ》れるわけではありませんが、順一さんの話は歴史を見る視点をどこに置くかで、見え方がまったく異なってくることを気づかせてくれます。

Episode

13

Kaori Nara Turner

「なりたいものになれる」進駐軍慰問の舞台からチャンスをつかんだ少女の物語

カオリ・ナラ・ターナー

1933年生まれ／終戦時12歳

東京都の蒲田《かまた》で生まれ、幼いころから日本舞踊《ぶよう》やタップを習って育つ。疎開先で終戦を迎え、戦後は進駐軍慰問《しんちゅうぐんいもん》でダンサーを始める。その後アメリカへ渡ったが、ケガによりダンサーを断念《だんねん》。ハリウッドで活躍《かつやく》するメイクアップアーティストだった夫のすすめで、自身もメイクアップアーティストに。映画『チャーリーズ・エンジェル』『猿の惑星』『ゴーストバスターズ』『キル・ビル』『アメリカン・ビューティー』などの人気作品に携《たずさ》わり、2003年には日本人として初めてエミー賞を受賞した。

恵まれた環境で育ち、6歳から踊り始めた幼少期

私、今でもハッピーなんですが、7つのころはさらにハッピーガールだったんです。幸福な家庭の子だったっていうのかな。私の父は蒲田にある蓮沼《はすぬま》の町内で副会長をしていて、絵と習字の先生をしていて……とにかく、できないことのない人でした。田園調布《でんえんちょうふ》にあった多摩川園《たまがわえん》の「回転ボート」を設計して、その権利で稼いだり、お墓まで作っちゃうような器用な人だったんですよ。

それから、「泥水すすり、草をかみ」なんて歌詞の歌（『父よあなたは強かった』）があるくらい、当時の兵隊さんは飲み水に苦労したんですね。それで科学者でもあった父は、泥水を飲める水に変える「奈良ポンプ」という小さな筒を発明したんです。父は青森出身の資産家で、当時すごく栄えていた中国の上海に通っては、慕ってきた中国人の子どもを連れ帰ってきて育てるなど、とにかく変わったことばかりしていた人だったんですよ。母は京都の出身で体の弱い人でしたが、よくその子たちの面倒《めんどう》も見ていました。

父はよく、私に「人は皆、なりたいものになれる。あんたもなりたいものになりなさい」と言っていました。母は、私があまりにブスだったから「日本舞踊でもさせたら女らしくなるかも」と言って、6つの時から日本舞踊を習わせてくれました。昔は、「6つの歳の6月から習いごとを始めると上達する」と言われていたの。だからみんな、そのころからお琴や日本舞踊を習い始めたんですよ。

それから当時、松竹少女歌劇団や宝塚少女歌劇団に3カ月間タップダンスを教えに来ていた日系アメリカ人の先生がいたんです。その人が、東京の松竹前にあった「ほがらか」というコーヒーショップで働いていた姉の

踊りのお稽古にいく前の奈良さんとお母様（ナラさん提供）

ことを見初めてね。姉は看板娘で、美人だったんです。2人が結婚したので、私は義理で7つのときからタップを習い始めました。

毎日、首から定期券をぶら提げて、学校が終わると蓮沼から蒲田（東京都大田区）に行って、日本舞踊とタップを習い、帰ってくると夕方。そんな毎日でした。両親にはものすごく大事に育てられてね、私の着物はみんな京都にオーダーしてくれて、乳母やばあやまでいたんですよ。

疎開先によって大きく変わった生活環境

私の戦争の最初の記憶は、朝6時か7時だったかしら、近所の大人たちが集まって「はい、やりましたねえ」「やりましたね」って騒いでいた様子でした。おそらくアメリカの真珠湾を攻撃して、太平洋戦争が始まったときのことだと思うの。そのときは何が始まったのかわからなかったけれど、男の人たちがすごく興奮して騒いでいたんです。

そのうち戦争が本格化して、どんどん周囲の人が出征《しゅっせい》するようになりました。父が町内の子どもたちを多摩川園に招待して、集合写真を撮るの。人数分を紙に焼くんです。カメラ――当時は写真機といいましたが――は木製で、大きなレンズが3つ付いている箱なんだけれど、父はカメラについた黒い幕を頭から被って、ポチッとシャッターを押すんです。できた写真を人数分焼いては配って、「慰問袋《いもんぶくろ》に入れてくれ」と言うんです。そうしたら、出征した父親や兄弟たちが戦地に行っても子どもたちの姿を見られるからって。

戦況が悪化すると、今度は学童疎開《がくどうそかい》が始まりました。行先は校長先生がくじ引きで決める。どこへ行きたいなんて希望は言えません。私は富山県に行かされました。

富山県東部の下新川《しもにいかわ》郡には、私が知っているだけでも疎開を受け入れているお寺が4、5軒ありましたね。私の行ったお寺はものすごく大きくて、住職さんご夫妻も若くて、まだ子ども

富山県に疎開中の奈良さん（左）。「一番かわいいでしょ!」（ナラさん 提供）

がいなくてね。バイオリンを弾くような進歩的な方でした。経済力のあるお寺で、私たちもわりとおいしいごはんを食べさせてもらっていました。それでも1日3食じゃなくて、朝はおかゆとかお芋、夜はお豆入りのごはん。それでもちゃんと食べさせていただいていたので、幸福なほうだったんです。

同じ学校の男の子たちが入ったお寺の中には、子どもたちの持ち物を勝手に売ってしまうところもあったと聞きました。だから、一口に疎開といっても、連れて行かれたお寺で運命がぜんぜん違うんですよ。遠足もあって、お寺がそれぞれお弁当を持たせてくれるんですが、私たちのお寺はおにぎり、炒《い》ったお豆、お芋など5、6品作ってくれました。一方で別のお寺に行った男の子たちのお弁当はお芋だけ。子どもたちで相談して分け合ったりしていました。

父の突然の死と母と姉との再出発

もっと戦況がひどくなってきたころ、お坊さんが「今、東京が燃えてるよ」とラジオを持ってきてくれたことがありました。みんなで集まって、「お父さんがんばれ、お母さんがんばれ」と泣きました。それからすぐだったと思うけれど、「天皇陛下のお話がある」と、みんなが集められたんです。一生懸命聴いていても、ラジオはガーガー言っているだけで、なんだかわからない。でも先生たちが泣いているから、何かあったことだけはわかったんです。「きっと戦争が終わったんだよ」「じゃあ負けたの?」とみんなで言い合っていました。

終戦後数カ月は、そのままお寺にいました。汽車が空襲などでやられてしまって、なかなか親が迎えに来られなかったのかもしれません。1日に1本も汽車が走っていなかったんじゃないかしら。

当時の名物はシラミ。シラミのいない子はいないくらいだった。毎朝本堂にずらーっと並んで座り、互いの頭のシラミを潰《つぶ》し合いながら、山門《さんもん》まで続く道をみんなで見下ろしていました。本堂は小高い場所にあったから、山門の向こうの一本道が見えたんです。そうして見つめていると、1日に1組か2組、親が迎えに来てくれるんですよ。

ある日、遠くから歩いてくる男の人が、父だとわかったんです。すごく遠くに見えただけでしたが、親のことはすぐわかるんですね。でも、みんながお迎えを待っているのに、私が喜んだらかわいそうだと思って。慌ててトイレに行って、呼ばれるのを待っていたんです。今思えば5分くらいなんでしょうが、私には1時間くらいに感じてね。そのうち「奈良さーん、お父様がいらっしゃったわよ」と言われて、「あら、そう」なんてすまして出ていったの。本当は飛び跳ねたいくらいうれしかったのにね。

父は当時、岡山と、四国の松山かどこかに山を買っていました。当時は山を持っていうのがステイタスシンボルのひとつだったんですね。そうしたら政府から「岡山で鉄を掘れ」って命令が来たんですよ。当時は戦争で鉄が必要でしょう？　それで「鉄ができたら軍か政府が買い取る」と言ってね。政府の命令には逆らえませんから、父は多摩川園の権利を売って鉄を掘る資金にしたんです。家財道具いっさいを東京から汽車で送ったらしいんですが、いつまで経っても届かない。聞いてみたら、その汽車が爆撃されてしまったと。大事なものが全部なくなってしまい、母はかなり悲しんでいましたね。

岡山でようやく鉄が掘れて政府に納めて、お金をもらう前に終戦になってしまいました。莫《ばく》大《だい》なお金をかけて鉄を掘るだけ掘ったのに、全部パーです。それで父が土地を買っていた四国に家族で引っ越しました。石綿《いしわた》（アスベスト）が出る山で父が指揮を執っていたんですが、そこで石綿を吸ったせいか父が急死。私が中学1年生の後半か、2年生になるころに東京に帰ってきました。母と姉と私の3人で再出発することになったんです。かつて自宅のあった場所は焼け野原になっていて、周囲には掘っ立て小屋が並んでいました。塀や階段の跡を調べて、ここだと思う場所を掘り返してみたんです。必要な荷物は汽車の爆撃でなくなっていたから自宅跡に埋まっていたのは不要なものだけでした。だから終戦後は本当に裸一貫《はだかいっかん》です。

私は日本舞踊を見せるために疎開先に振り袖を持って行っていたんですね。それを母が「お金に換えていい?」と聞くから、「いいわよ」と言ってトウモロコシ粉に替えたこともありました。当時はトウモロコシの粉の調理法なんて知らずに固めて焼くだけだから、ポロポロ落ちてくるし、まずいのなんの。そのうちに鯨の肉が出回るようになって、それを刻んで混ぜて焼いたりしていました。その肉だけ食べて、怒られたりしていましたね。

中学生というと、今はなんていうのかしら、〝メンス（生理）〟が始まるころですよ。母がね、古着屋さんに並んで浴衣《ゆかた》を買ってきてくれるんです。買ってきた浴衣は、バイ菌を消すためにお釜に入れて煮るんですよ。そして高いところに干してから、四角く切って、中に細かく刻んだ布を挟んで刺し子するんです。今でいう布ナプキンよね。それを毎月いっぱい作ってくれて。捨てるたびにもったいなくてね……。私は母がいたから作ってもらえたけれど、戦後は孤児《こじ》もたくさんいましたから、彼女たちはどうしていたんだろうなと思います。テレビも何もないから、メンスってもの自体も教えられないじゃない？　初めてなったときに「お母さん、お尻に血がついてる」って聞いたんです。そうしたら「これから男の人のそばに行くと子どもができますから気をつけなさい」と言われました。

東京に帰ってきて、中学校へ行こうにも、転出した学校の書類がなければ編入できない。母はお嬢さま育ちだし、体が弱くて亡くなった父に任せきりだったから、手続きの仕方がわからなかったんです。

舞い込んだ進駐軍慰問への参加のチャンス

そのころ、政府の命令で進駐軍慰問《しんちゅうぐんいもん》が始まりました。当時は、進駐軍専用のクラブがあって、そこで40分くらいのショーをやれと言われたんです。出演料は政府から支払われました。

芸能人や踊りの先生は戦時中や終戦直後は劇場やホールがないから、無収入。そこへオファーがきたので、たくさんの人が集まりました。ショーに出る前に査定があって、超有名な先生はスペシャルクラス、大人のA・B・C、子どものA・B・Cとクラスが分けられたんです。14歳の私はタップで子どもAクラスに入り、大きくなってからはソロダンサーになりました。

慰問先は全部で10カ所くらいありました。神奈川県横須賀《よこすか》市のEMクラブ、東京・福生《ふっさ》市にNCOクラブ、将校のためのオフィサーズクラブなどがあって、そこを1日で3つくらい掛け持ちするんです。東京駅前の交通公社のビルが焼け残っていたので芸能事務所が置かれていました。そこにあらゆる芸能人が集められて、20台くらい待機しているトラックに次々乗せられて、派遣される。

踊り手はいるけれど、バンドがいないから、毎日その場で即席《そくせき》のバンドをつくっていました。一度、バイオリニストと2人だけで慰問に行ったことがあったわね。バイオリン一つでタップダンスを踊るんですよ。『イン・ザ・ムード』っていう、本来ならサックスやトランペットのはつらつとした活気のある音色が印象的な曲なのに、バイオリンでコーケコーケコーケコーケって弾くの。踊っててもおかしいし、兵隊さんたちは笑うし。でも逆にそれがウケていましたね。

ショーに出られるようになったのはいいけれど、衣装が大変。男性バンドマンはみんな復員服《ふくいんふく》でし

子どものころに習ったタップダンスが生活の糧になった（ナラさん提供）

た。「今、戦争から帰ってきました」みたいな格好なの。布なんて売っていないですから。そうしたら母が、お祭りの時に張る紅白幕を買ってきて、ドレスを縫ってくれたんです。立っていると赤い服だけれど、クルクルと回ると、白い部分が出てくるようになっているの。それから、金糸の入ったかわいい帯を作ってくれたり。みんな衣装には苦労していて、そのころバレエで有名だった谷桃子さん（のちの日本バレエ協会第3代会長）は、慰問先でカーテンを買ってきて、それでドレスを作ったりしていたわね。

最初は少なかったバンドマンも、復員した人が参加してだんだん大人数になっていきました。「クレイジーキャッツ」のハナ肇《はじめ》さんや、江利《えり》チエミさんとは進駐軍慰問でご一緒していたんですよ。

テレビに出てくる当時の話を見ると、違うなと思うことが多いわね。だいたい、白いシャツなんてほとんどの人は着ていなかったはず。だって石けんがなくて、洗濯だって大変だったんだから。慰問に行くとまずトイレから石けんを持ってきて、切ってみんなで分けるんです。闇《やみ》市《いち》に行けば、進駐軍から流れてきたのがあるんですけど、高くてね。

お風呂屋さんに行っても、髪を洗うのは灰。ダメージを与えないし、よく汚れが落ちるんです。戦後しばらくは石けんや紙がなかったから、新聞紙を切ってトイレットペーパーにしていました。汚い新聞紙だったから、拭くとお尻が真っ黒になっちゃうの。そうやっていろんな苦労をしていたんです。

2、3年して政府の資金が尽きて慰問事業が終わると、毎日あった進駐軍からのショーの依頼が、土曜日だけになっちゃった。だけどそのころからあちこちにキャバレーが立ち始めて、ショーの踊り子が必要になったんで

ステージに立つために着飾ったナラさん（ナラさん提供）

す。今も話題に事欠かないデヴィ夫人とは、コパカバーナという赤坂の外国人向けのクラブで一緒でしたよ。そしてキャバレーが衰退《すいたい》するころにテレビができて、踊り子がたくさん必要になりました。だけどテレビでドラマや歌謡の番組が増えてくると、また踊り子がいらなくなった。すると今度は日本中に温泉旅館ができて、そこでショーをやるようになったんです。そうやって慰問から始まった踊り子たちは、居場所を変えていきました。おもしろいでしょう、世の中うまくできているのよ。

私はというと、浅草の新世界というクラブで踊っていました。宝塚歌劇から1人、日劇から1人と私の3人をスターにしたんです。テレビに呼ばれなくなった踊り子たちを呼んでね。だけど4、5年経ったころ、「こんなところで威張っていたって嫌だ、ニューヨークの一番端っこでもいいから、本場で踊りたい」って夢を見るようになったんです。そのころは簡単に外国に行ける時代じゃなかったですけどね。なんとかアメリカに行って、ラスベガスを目指しました。いろいろ苦労をしてラスベガスの舞台に出られたときは、うれしかったな。

そうそう、父が戦時中に青森県の浅虫《あさむし》に温泉の出る家を買っていたんです。母が療養《りょうよう》できるようにって言って。奈良ポンプの代金を政府から国債《こくさい》でもらっていたんですが、それを銀行に担保に入れて買ったんですね。そうしたら戦後になって、銀行が「国債はパーになったからお金を払うか家をよこせ」って言ってきたんですよ。すでに焼け出された親戚たちがたくさんその家に住んでいたので、家を空けることはできないから、結局祖父がお金を払って家を買い取ったんです。その家が70年経って空き家になっていたので、私が処分しようと思ったんです。そうしたら、家の名義が祖父になっているでしょ？　財産分与しようとしたら祖父の孫とか知らない親戚が60人くらい出てきちゃったのよ。死んだと思っていた人が生きていたり、書類を作っている最中に何人か死んじゃったり。

結局40人くらいで分けることになったのだけど、それが2021年にようやく解決したの。弁護士代に100万、競売《きょうばい》にかけるのに40万円もかかったけど、180万円になって帰ってきました。今も国は国債を売ってるけど、それなら前の分を支払えって言いたいですね。

私の実家は戦争で財産をほとんど失いました。当時はそういう人たちがたくさんいたけれど、政府はなんの補償《ほしょう》もしてくれませんでしたよ。

コロナ禍やなんかで学校に行けなくたって、馬鹿になるわけないわよ。私なんか中学校も出てないいんだから。それでもアメリカと日本で勲章《くんしょう》をもらって、日本人で初めてエミー賞ももらった。学校に行かなくたって、世界に通用する人間にはなれる。学校に1、2年行かないからって「So what?（だからどうした？）」って感じですよ。そういう苦労をした人たちが、今の日本をつくり上げたんですから。

Writer's note

芸能界に影響を与えた慰問団

ナラさんの戦後のお話は、日本の芸能史を垣間見るようでした。進駐軍慰問が戦後の芸能界に大きく関わっていたのですね。

日本の芸能大手といえば、松竹と東宝です。この2社のように舞台芸能と映画の両方を受け持つ企業は、世界的に見ても珍しいようです。松竹は明治時代に、芝居小屋の裏方として働いていた松次郎と竹次郎兄弟が舞台興行を始めたのがきっかけです。一方の東宝は、小林一三《いちぞう》が阪急電鉄の赤字解消のため、沿線の土地を買い、住宅地として売ると共に宝塚地区に温泉施設を造ったのが始まりでした。その施設でショーを行っていた少女歌劇団が、現在の宝塚歌劇団です。少女なら安く雇えたこと、唱歌なら楽器がいらないことが少女のみの歌劇団になった理由だとか。豪華絢爛な衣装でファンを魅了する宝塚歌劇団の出発点が「経費削減」なのは興味深いですね。

戦時中、大劇場は一旦閉鎖されましたが、「娯楽は必要」という声が高まり、いくつかは再び開演することが許されました。しかし国際劇場、日本劇場、有楽座は風船爆弾の工場になったそうです。

松竹や東宝が抱えていた俳優や少女歌劇団の団員たちは、1944年ごろから慰問団として活動するようになりました。一方、ナラさんが参加した進駐軍慰問団は、戦後、進駐してきたアメリカ兵のために作られたものです。ナラさんがダンサーとして花を咲かせるきっかけになった活動です。そこで活躍しているグループがレコードデビューしたり、取りまとめを行っていたチームが芸能プロダクションへと発展していったのですね。

1947年に設置された特別調達庁は、占領軍の求めるモノを集めて提供する組織でした。そこでは資材や労務のほか、芸能まで要求されたとか。芸能とはナラさんのようなダンスやアクロバットだけではなく、文楽《ぶんらく》や獅子舞《ししまい》、点茶《てんちゃ》といった日本の伝統文化まで含んでいたそうです。Episode10にあるように、大宗匠のお父さんがアメリカ兵にお茶を教えていたのは、特別調達庁の命令だったのかもしれません。この特別調達庁は1952年に調達庁となり、1962年に防衛施設庁に再編成されました。2007年1月に防衛庁が防衛省に昇格する際その外局となりましたが、9月に廃止されました。防衛省といえば自衛隊を管理する行政機関ですが、それが進駐軍への慰問を行っていたというのはちょっぴり不思議な感じがしますね。

COMMENTARY

歴史の大転換

【Keyword】進駐軍

日本近現代史の転換点は明治維新と太平洋戦争での敗戦であるといえます。いずれも転換点の前と後では、人々の考え方や社会の制度が大きく変わりました。私たちが生きている時代は明治から大正、昭和、平成、令和と移り変わってきましたが、長い目で見れば1945年8月15日に始まった社会が続いているといえます。

ナラさんの話に登場した進駐軍とは、ポツダム宣言を執行《しっこう》するために日本を占領《せんりょう》した連合国軍のことを指します。連合国軍最高司令官のダグラス・マッカーサー米陸軍元帥《げんすい》が1945年8月30日に厚木《あつぎ》飛行場に降り立った日から、1952年4月にサンフランシスコ平和条約が発効するまで、日本は主権を失い、連合国軍に占領されることになります。日本が外国に敗れて占領されることは歴史上初めてのことであったため、当時の人々は大きな衝撃を受けました。

マッカーサー元帥は東京に連合国軍最高司令官総司令部《そうしれいぶ》（GHQ）を置き、GHQが日本政府に指令を出して政策を実行させる間接統治《かんせつとうち》で占領を始めました。占領政策の基本方針は軍国主義の排除と民主化におかれたため、軍隊は解体《かいたい》され、戦犯《せんぱん》を追及《ついきゅう》する極東軍事《きょくとうぐんじ》裁判（東京裁判）が始まりました。そして、民主化に関する改革指令が出されると、女性への参政権付与や財閥解体《ざいばつかいたい》、農地改革、教育改革などが行われ、社会の制度が大きく変わりました。その総仕上げとして行われたのが日本国憲法の制定です。また、進駐軍は政治だけではなく、文化にも大きな影響を与えました。「ギブミーチョコレート」を流行語にした豊富な物資や映画などの娯楽は、日本人に親米感情を植え付ける役割を果たします。

しかし、1947年に冷戦構造が始まり、1950年に朝鮮戦争が勃《ぼっ》発《ぱつ》すると、マッカーサー元帥は警《けい》察《さつ》予備隊《よびたい》（現・自衛隊）を設置するなど占領政策を大きく転換して、日本を同盟国として強化する道を選びました。

退任演説を行った際のマッカーサー

Episode

14

Chieko
Kusama

小学生から一家の大黒柱
闇市からハウスメイドまで
働き続けた少女の物語

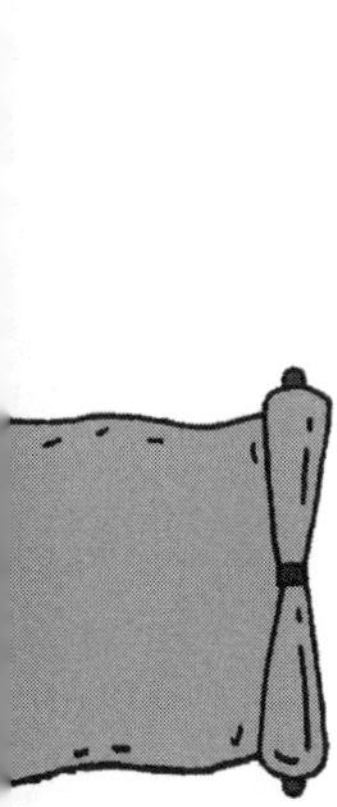

草間千恵子

くさま・ちえこ

1929年生まれ／終戦時16歳

東京都足立区千住《せんじゅ》に生まれる。小学生のころから一家の大黒柱として働き、家族を養った。終戦後はエレベーターガール、進駐軍《しんちゅうぐん》のハウスメイドなど華やかな職につき、19歳で結婚。洗い張り屋、呉服屋を営んだのち、70歳で佃煮《つくだに》店を創業。今でも現役で店頭に立っている。

小学生で一家の大黒柱になる

うちは父親と母親、姉が2人、あたし、弟が5人に亡くなった兄が2人の12人家族でした。東京・千住の小さな借家《しゃくや》に住んでいたの。父がならず者でちっとも働かないから、ずっと貧乏でね。母は浅草《あさくさ》で辻占《つじうら》（占いの一種）をしたり、ずいぶん苦労をしてたな。

長男は生後3カ月で死亡。2番目の兄は東シナ海で戦死。一番上の姉は、母方のおばあちゃんが黒門町《くろもんちょう》（JR御徒町駅周辺）で置屋《おきや》さん（芸者が所属していた家）をやっていて、そこに8歳くらいから住み込みしていたのね。妹や弟がたくさんいる貧乏な家が嫌だって言ってさ。すぐ上の姉は、一番上の姉のキレイで華やかなところがうらやましくて、半玉《はんぎょく》（芸者の見習い）になったの。だから実家では、あたしがきょうだいで一番年上になっちゃったのよ。

あたしが10歳のころ、2番目の弟が百日咳《ひゃくにちぜき》から始まって、血が通わず指の先を全部切らざるを得ない状況になって。なんの病気かがわからなくて、ずっと入院していたのよ。母が弟につきっきりで看病していて、あたしがほかの弟2人を連れてお見舞いに行くと、別れ際に母が2銭《せん》をくれるの。それをもらって橋を渡ると、病院の4階から母が「またおいで」と手を振ってくれる。橋の上に果物とかお菓子を売っている屋台があって、2銭のうちの1銭で梨とかお菓子を買って弟たちと食べて帰ったのよ。さらに下の弟2人はまだ生まれてなかった。

母は病院でつきっきりだったから、あたしは小学校4年くらいから2年間、学校に行けなくなったのね。このころから母に代わって「稼ぐ」ことが私の役目になったの。

一番初めにやったのは、魚売り。これが一番嫌な仕事だったの。サメをリアカーに積んで、軍需工場《ぐんじゅこうじょう》に納めに行ったこともあったわ。弟たちを連れていくこともあったんだけど、力仕事だから疲れて泣いちゃうのね。当時弟たちを慰《なぐさ》めるために歌っていた歌を聴くと、今でも涙が出ちゃうくらいつらい思い出。

魚売りをやめたあとは、お菓子の包装をする仕事ね。年齢をごまかして仕事していたんだけど、半年後にバレちゃってクビになっちゃった。そのあとは、「ケトバシ」という、人力でプレスをする機械で洋服のホックを作る工場にも行ったの。力いっぱいペダルを踏まなきゃいけない上に、あたしは人の倍も働くから、体に負担がかかっちゃってさ。町工場《まちこうば》で働くのが嫌になって、都心で働こうと思ったのよ。

疎開先の埼玉で終戦。リアカーを引いて東京に帰る

そのうち戦争がひどくなって、東京は何度も空襲されるようになってきたの。東京大空襲は本当にひどかった。隅田《すみだ》公園が死体でいっぱいでね。火に追われて、みんな隅田川に飛び込んでそこで死んじゃったの。悲惨《ひさん》なんてもんじゃないですよ。その惨状《さんじょう》を見て、父が「ここにいたらダメだ」と、母と一番上の姉、弟3人と私で埼玉県の浦和に疎開したの。

終戦のころ16歳だった草間さん（左）と長姉夫婦（草間さん提供）

そのころ黒門町のおばあちゃんが亡くなったんだけど、置屋は山のように借金があってね。それを全部一番上の姉が背負ってしまったのよ。置屋を売っても足りなくて、芸妓《げいぎ》になって返済していました。その後、築地の卸屋《おろしや》さんに見初められて、奥さんというわけではないんだけど、経済的な援助をしてもらっていたのね。そして、その人が近所の会社の社宅を紹介してくれて、そこが疎開先になったんです。

浦和での生活は大変だったわよ。当時は自宅の庭に防空壕《ぼうくうごう》を掘る人がほとんど。あたしたちも作ろうと思ったんだけど、素人《しろうと》ってだめね……。穴を掘っても土が軟らかいから、弟たちが周りを走り回ると、土が崩《くず》れて穴がふさがっちゃうの。掘ったらすぐに木の枠《わく》を入れて、崩れないように壁を支えなきゃいけないんだけど、そういうのもわからないのよ。

玉音放送は、家にラジオがなかったから聴いてないのよね。たしか、隣のおばさんから「戦争が終わった」って聞いたんじゃないかな。

戦争が終わってもう東京も危なくないだろうと、父が残っていた千住の借家に帰ることになりました。リアカーに荷物を全部積んで、弟たちに押させて浦和から千住まで歩いて帰ったんです。その道すがら、進駐軍のジープが次々と通るのよ。当時は「女性はアメリカ兵に見つかったら乱暴される」と言われていたから、そのたびに路地に逃げるの。おかげで千住に戻るまでに何日もかかっちゃった。弟は泣くし、大変だったわ。

闇市で食料も仕事も確保

終戦直前はお米なんて買えなくて、大豆だけ。鍋で炊いてると下から2番目の弟が「豆じゃなくて米が食べたい」と泣くのよ。弟はまだ5、6歳だったから、我慢なんてできない年ごろだからね。これがつらくて。戦後は闇市《やみいち》にお米を買いに行きました。近くでお米が手に入るのは新潟だけだから、一晩中並んで上野から新潟までの切符を買ってね。でもね、途中の長岡駅で

東京・新橋にあった闇市の様子

必ず警察の一斉調査があるの。持っている袋を全部調べられて、闇米《やみごめ》（不法に取引されていた米）は全部没収。泣きの涙で帰ってくるの。何回もこの悔しい体験をしたわ。

とにかく、きょうだいみんなを食べさせなきゃいけないから、稼ぐほかなかったのよね。それで母と相談して、ふすま団子にうどん粉を被せたものを20個くらい作って、上野に売りに行ったの。物のない時代だったからね、あっという間に売れるのよ。売れたら同時に逃げるわけ。というのも、ふすまって、お米を脱穀《だっこく》したときに出るかすのことなの。外側はおいしそうな黄色い皮が巻いてあるけど、中はインチキ。スカスカだから、食べたらゴホッてなる。こんな話、言っちゃまずいから今まで黙っていたけど、とうとう言っちゃった（笑）。

16歳のころに、何かのツテで北千住駅前の闇市の権利を譲ってもらって、そこで団子屋を始めたの。甘辛のふすま団子が売れるかなと思って。1カ月くらいやったけど、全然人が来なくて、「これはだめだ」と思ってさ。店の前に魚を焼いて売る人がいてね、そこにはお客さんがいっぱい入るのに、こっちには来ない。そこで考えたの。「もっとお腹いっぱいになるものじゃなきゃダメだ」って。あたし、ラーメンが好きなのよ。それでひらめいてね、ラーメン屋のおばさんのところに行って「どんぶり洗ってあげるね」って言ってお手伝いをしたのね、お金はもらわなかったけど、そこで作り方を見てたの。ああ、こうやって作ればいいんだって。

それを父親に伝えて、鶏ガラスープを作ってもらい、1杯5円で売り出したのよ。それがすっごくよく売れてね。お客さんがぎゅうぎゅうに入っても10人くらいしか入れないカウンターの店だったのに、稼いだお金で家族みんなを食べさせても、1年で貯金が4000円は残るくらい稼いでいたのよ。1950年ごろの大卒銀行員の初任給《しょにんきゅう》が4000円くらいだったっていうから、戦後すぐに小卒でそれだけ稼いだのはすごいでしょう。

エレベーターガールから進駐軍の「ハウスメイド」へ

そのままラーメン屋を続けるっていう手もあったけれど、あたしは丸の内とか、とにかく都心部に行きたかった。千住に留まるのが嫌だったのよ。

それで17歳くらいのときに、丸の内の東京海上ビルの食堂で働き始めたの。あたしはサービス精神旺盛《おうせい》で、ほかの人が3つしかおぼんにのせない食器を10くらいのせて片付けるから、すべらして瀬戸物《せともの》を割っちゃうのね。店長が「これ以上、アライ（旧姓）を使っていると損失ばかりだ」と言って、エレベーターガールに回されちゃった。月給は4000円。

そこで1年くらい働いたころかな、「ジェファーソンハイツ」と呼ばれていた赤坂の米軍住宅でハウスメイドの募集があることを知ったの。ハウスメイドっていうのは、女性の使用人のこと。そこは月に8000円ももらえてね。新聞に募集広告が出ていたんだけど、条件は「身長が151センチ以上」「女学校卒」。あたしは、小学校しか行ってないでしょう？　でもどうにかして受かりたくて、堀越さんという友達の名前を借りて「堀越女学校卒」と適当に書いて履歴書《りれきしょ》を出したの。そしたらなんと、本当に堀越学園という学校があって（笑）。そもそも履歴書だって、ABCもわからなかったから、大学を出た従兄に書いてもらったのよ。とにかく8000円に目がくらんで、必死でね。そうしたら男性の字だから代筆がバレちゃって、「履歴書は自分で書くんですよ」って指摘されちゃった。「ああ、そうですか。あたし、ちょっと字がよくわかんなかったので書いてもらったんです」なんて答えたんだけど、採用されたのよ。

ジェファーソンハイツは日本兵でいえば伍長《ごちょう》とか高卒レベルの人たちが入る地区。1階は1DKで2階は二間あった。あたしの担当の家は家庭的で、奥さんもいい人だったな。子どもが2人いて、上が4歳で、そこの子に身の回りのこと、例えば「『石鹸《せっけん》』はなんて言うの？」とか、教えてもらったの。ペーパーなんてのもあの当時日本人は言わないから知らないしね。

私はハウスメイドだったけど、その上にハウスキーパーっていう役職があったのね。その先輩が大妻女学院を出て英語を話せたから、アルファベットとか本当にいろいろよく教えてもらって。お給料をもらうのに「Ｃｈｉｅｋｏ　Ａｒａｉ」とサインが必須だったからね。それで今でも、名前だけはローマ字で書けるのよ。

そのハウスキーパーの人が本当にいい人で、彼女が死ぬまでお付き合いが続いたの。洋式便所なんて使ったことないから、教えてもらうまで便座の上にしゃがむものだと思っててさ。すごく大変だったのよ（笑）。それに、昔のトイレは水道管が近くにあったんだけど、ずっとトイレの最中につかまるための手すりだと思っててさ。

職場には、渋谷で電車を降りて赤坂見附《あかさかみつけ》まで歩いて行ってたんだけど、私はよくでっかい風呂敷を持っていってたわ。弟の靴下とかズボンとか、破けちゃったものを持っていっておいて、時間があったら縫い物をしたのよね。

ジェファーソンハイツには1年くらいいたかしら。その後、代々木《よよぎ》にあったワシントンハイツっていう、大きな軍用地にあった米軍の将校が住む家でも1年くらい働きましたね。

ワシントンハイツは士官とか将校レベルが入る地区。1階は2ＬＤＫ、2階は二間。家もジェファーソンハイツよりも立派だった。来るお客のレベルも将校とかで全然違うの。でもそこの家の人はケチなんだけど見栄っ張り。慎ましやかでマナーにも厳しくてね。お給料は良かったけど、仕事は

ワシントンハイツの住宅。現在は代々木公園などになっている

ジェファーソンハイツのほうが楽しかったな。

自分で道を開く。その精神で70歳で起業

19歳のときに母親がすすめる人と結婚することになって、そのとき初めて、ずっと欲しかったものを買ったの。それが、白い割烹着《かっぽうぎ》。お嫁に行くのに、持っていくものなんて何もない時代だったけど、どうしても割烹着は欲しくてね。月給1万円も稼げない当時で、2000円もしたのよ。それと、ずっと働いてきたのに、それじゃあまりにかわいそうだって言って、母がふとんをひと組だけ買ってくれたの。それを持って、お嫁に行ったんです。

旦那が洗い張り屋だったのね、着物の糸をほどいてバラバラにして、洗う仕事よ。そうやってまた仕立屋さんに出すと、またキレイな着物になるの。彼は職人だったから、食べるには困らないだろうと思ってた。だけど時代の流れでだんだん洗い張りの仕事がなくなってね……それで、今度は呉服屋《ごふくや》をやろうってことになったの。40年、一生懸命切り盛りしたのよ。着物を

買った人にはお土産《みやげ》を持たせたり工夫をして、すごく繁盛《はんじょう》してたんだけど、バブル崩壊《ほうかい》に、職人さんたちの後継者《こうけいしゃ》問題で、呉服業界も難しくなってね。そもそも着物を着る人がどんどんいなくなってきたでしょう？　このままじゃいけないと思ったときに、着物を買ってくれたお客さんに好評だった葉唐辛子《はとうがらし》の佃煮《つくだに》を売ったらいいんじゃないかってひらめいて。いつも自分で作って、お土産にあげてたの。それで、佃煮屋さんを起業した。70歳で、ですよ。それで今92歳、まだまだ自分で稼いでますから。中学校も出てないけど、商売の才能はあったのかもしれないわね。

あたしね、小さな工場でコツコツ働くよりも、かっこいいところが好きなのよ。90歳過ぎた今も、身だしなみは大事にしてる。うちの旦那にもね、彼が死ぬまで、素顔を見せたことはなかったのよ。

Writer's note

ワシントンハイツの縁

終戦になると、大量のアメリカ兵が日本に上陸してきました。アメリカ軍は占領を見越して、空襲の際には使えそうな建物を爆撃せずに残していたそうです。こうして残された帝国ホテルや日本郵船ビル、旧岩崎邸、草間さんが仕事を得た東京海上ビルといった財閥系豪邸などがアメリカ軍に接収されました。その上、GHQは日本政府に命令し、アメリカ兵が家族を連れて暮らせる住宅を造らせました。それが、お話に出てきたジェファーソンハイツやワシントンハイツです。全国が焼け野原になり、日本国民は住む家すらありませんでした。それを差し置きアメリカ兵のために、全国から資材を集めて住宅のほか、教会、劇場、商店などの街が造られました。建物は簡易なものだったようですが、芝生の茂った庭や広い歩道など、アメリカの文化をそのまま取り入れた街の様子は、当時の日本人にとって夢の世界だったことでしょう。

ワシントンハイツは1964年に返還されると、その年の東京オリンピックの選手村として転用されたあと、取り壊されました。その直前の1960年代初頭、ワシントンハイツで野球をしていた日本の子どもたちがいました。その少年野球団を率いていたのは、ジャニー喜多川さん。現在も多くの男性アイドルを擁しているジャニーズ事務所は、ワシントンハイツが出発点だったのです。松本 潤さんが大好きな草間さん、ジャニーズの基礎を築いた人と同じ場所で過ごしていたのですね。

草間さんが経営する「佃煮処 千草屋《ちぐさや》」は、吉原の目の前にあります。吉原は江戸幕府が開いた公営の遊郭《ゆうかく》で、その規模は日本最大でした。遊郭で働く女性はおもに遊女で、男性に身体を売るのが仕事です。遊女の多くは地方の寒村《かんそん》から売られてきました。その借金を返すまで、遊郭の外にも出られません。一方で、人気の高い花魁《おいらん》になると、お客さんといえど簡単には口をきくことも、触れることもできませんでした。

草間さんのお姉さんたちは芸妓、いわゆる芸者さんでした。お座敷に出て舞踊や音曲などでお客様をもてなします。半玉とは、芸妓見習いのことで、戦前は小学生から半玉として修業をしながら、お座敷に出ていたようです。芸妓は「旦那」を持ち、その人に尽くす代わりに、スポンサーとして莫大な金銭的支援をしてもらっていたのです。厳しい世界ですが、歌舞音曲と高価な衣装にひきつけられる少女は少なくなかったのでしょうね。

COMMENTARY

復興の槌音

【Keyword】闇市

大勢の買い物客でごった返す上野のアメヤ横丁の光景は年末の風物詩ですが、魅力的な横丁の多くが闇市《やみいち》から発展したことを知っていますか。草間さんの話に登場した闇市とは、太平洋戦争直後の混乱期に起こった露天市などを指します。

終戦直後の日本は、兵役からの復員《ふくいん》や外地《がいち》からの引き揚げで都市部の人口が急増しました。しかし、輸入が途絶えた状態で配給《はいきゅう》制度は麻痺《まひ》し、爆撃によって交通・流通網《もう》が寸断《すんだん》されたため農村から食料が入らず、都市部では食料や物資が圧倒的に不足し、政府による物価の統制は機能していませんでした。そのような中で、ターミナル駅の広場などに庶民が生活用品を融通《ゆうづう》しあう物々交換《ぶつぶつこうかん》の露店が軒を連ねるようになりました。これが闇市の起こりです。最初の闇市は終戦から5日後の8月20日に新宿駅東口にできたといわれますが、各地の都市でほぼ同時期に生まれたようです。戦後復興の槌音《つちおと》は闇市から始まったといっても過言ではないでしょう。

闇市では農村や漁村から持ち込まれた食料、アメリカ軍のPX（基地内の売店）から横流しされたチョコレートやタバコ、手作りの鍋や釜、衣類などあらゆるものが自由価格で販売され、食料・物資難に苦しむ人々の生活を支えました。当時の食糧難を表す話として、ヤミ米を食べることを拒んだ検事が餓死《がし》したことが大きなニュースになりました。合法的に手に入れることができる食料だけでは生きていくことができなかったのです。

しかし、多くの闇市が土地を不法占拠《ふほうせんきょ》しており、しだいに暴力団などが闇市を仕切るようになったため、GHQ（Episode13参照）は1946年8月に大規模な摘発《てきはつ》を行いました。終戦直後から1948年まで繁栄《はんえい》した闇市は、日本経済が復興するにつれて減少し、1951年には姿を消したといわれます。闇市があった場所は現在では商店街や繁華街《はんかがい》に姿を変えていますが、新宿ゴールデン街や上野のアメヤ横丁、大阪の鶴橋《つるはし》商店街、神戸の元町高架通商店街などに当時の面影《おもかげ》をとどめています。

戦後の闇市では、闇物資を警官に没収される様子も

Episode

15

Isao
Tanaka

終戦を知ることができず
シベリアで抑留された
元郵便局員の物語

田中勇男

たなか・いさお

1921年生まれ／終戦時24歳

鹿児島県生まれ。郵便局勤務を経て1940年に陸軍に志願。関東軍で下士官として勤務し、関東軍第5軍司令部主計曹長《しゅけいそうちょう》として終戦を迎える。日本への逃避行の途中でソ連のセミョーノフカ収容所に抑留《よくりゅう》され、1947年に帰国した。

郵便局員が兵士としてソ満国境へ

私は1941年に満州に渡りました。日米開戦前のことです。満州にいるときに開戦になり、どんどん状況が悪化していきました。

1939年、私が鹿児島県・佐多《さた》の郵便局に勤めていたころ、研修を終えた家内が、鹿児島県・鹿屋《かのや》の郵便局に赴任《ふにん》してきました。そのときに知り合ったんです。その後、私は同じ年に朝鮮にある郵便局の学校に1年ほど行くことにしたんですが、脚気《かっけ》になってしまって半年ほどで帰ってきました。

でも当時は、召集が激しくなっていましたから、「どうせなら兵隊に行こう」と、1940年8月に志願しました。当時身長は164センチメートル、体重64キログラムの中肉中背《ちゅうにくちゅうぜい》だったので、徴兵検査では甲種《こうしゅ》合格。それで1941年2月28日に鹿児島の自宅を出て、3月3日に広島に集合、宇品港《うじなこう》（現・広島港）から現在の北朝鮮・羅津《らじん》港へ2日かけて船で渡って、そこから満州に入りました。

母は当時40歳でしたが、月に3回は佐多岬の山を越えて神社参りをしていたようです。出征《しゅっせい》の際は、タチワケ（なた豆）をお守りにくれました。下からつるが出て、上に上ってまた返ってくるということで、道中安全や無事帰還の御利益があるそうです。それが何個もお守りに入ってました。それを持って、行ったわけです。

配属されたのは関東軍に所属する第十二国境守備隊《だいじゅうにこっきょうしゅびたい》というソ満国境《まんこっきょう》の警備部隊でした。3月6日に満州国の北部に着いたころは、雪で真っ白でした。訓練は零下20度を下回ると外ではできませんから、銃の手入れなんかをするんです。

関東軍は「総軍」といわれる大きな組織で、新京の総司令部の隷下《れいか》に5つの「軍」と直轄《ちょっかつ》部隊などで編成されていました。軍は2万5000人の師団が2個と国境守備隊など直轄部隊で編成されるので、その数は約6万5000人です。国境守備隊は各軍に置かれ、満州全土で15部隊があったと思います。守備隊の任務は国境沿いの守備陣地を確保することで、増援部隊が到着するまでの3時間守り抜くことを徹底して教えられました。

警備長や内務班長にすすめてもらい、1941年11月、下士官になるために大連《だいれん》の主計下士官候補者隊に入りました。12月1日が入隊式だったのですが、8日にはハワイ・オアフ島で真珠湾攻撃が起こっています。最初は学校の教育も中止という命令が出たんです。それが9日か10日には、教育続行となり、結局1942年の7月末までいました。

下士官任官後は、東安《とうあん》(現・黒龍江省密山市《こくりゅうこうしょうみつさんし》)の第5軍司令部主計室に配置され、そろばん一つで〝億〟単位の軍事費を取り扱っていました。そして、終戦間近の1945年8月1日付けで、国境守備隊などを再編して新たに作られた第135師団の司令部に主計曹長《しゅけいそうちょう》として配置されました。主計とは給与から給食、牛馬まで広く裏方《うらかた》を担当するので、あるときは獣医さんと2人で満州北部のハルピンまで特急列車「あじあ」に乗って乳牛を買いに行ったこともありました。南満州鉄道が世界に誇った冷暖房完備、食堂車付きのあじあ号に乗った下士官は、私くらいだったでしょう。

当時の兵隊の給与は１カ月７円の２等兵からはじまり、下士官の伍長《ごちょう》になると20円になります。でも、満州の部隊は手当がつくので伍長で32円くらいにはなる。軍司令官だと１０００円くらいもらっていましたが、みなさん単身赴任なので半分の５００円は内地の家族に送っていたようです。

なぜ給与の話をしたのかというと、それが師団司令部での最後の仕事になったからです。俸給日（給与支給日）は国内外を問わず毎月22日だったのですが、ソ連が侵攻《しんこう》してきたのは８月９日。私は大急ぎで銀行に行って師団全

南満州鉄道のシンボルであった特急「あじあ」

員分の給与を引き出そうとしましたが、銀行にあるのは1万2000円だけ。しかたないので、それを引き出して、10日は陣を構えていた東安を出ました。

ここで犠牲《ぎせい》になったのは、満蒙開拓団《まんもうかいたくだん》でした。彼らは満州で一旗揚《ひとはたあ》げようと日本から入植《にゅうしょく》してきた移民で、28万人ほどいました。彼らが開拓した麦畑の麦の穂が黄金色に実り、頭《こうべ》を垂れて、もう刈るばかりの状態なんです。そこにソ連が侵攻してきた。開拓団の男は7月に「根こそぎ動員」としてすでに召集されていて、残ったのは老人や女子どもだけ。お母さんたちが日の丸はちまきをし、赤ちゃんを背負いつつ、3つ、4つぐらいの子どもの手を引いて、助けてほしいとまとわりつくから、私もつらかったですよ。でも、命令が下っていたから助けられない。今でも彼女たちのことを夢に見ることがありますね。

東安の駅から汽車が出るというので行ったら、弾薬《だんやく》を積んだ貨車が爆発して、乗れなくなった。それで行軍《こうぐん》しなきゃいけなくなり、400人くらいで隊列を組みました。そのうち女性が80人くらいいましたね、電話交換手《でんわこうかんしゅ》とか筆耕《ひっこう》（文書を清書する職員）は女の人たちが主力でしたから。その人たちを隊列の中に入れて、延々と行軍したわけです。

玉音放送は聴けず終戦を知らないまま逃走

私たちの隊が最初にソ連軍と戦闘を行ったのは、1945年8月13日の朝8時から夕方5時。東京城《とうけいじょう》（現・黒龍江省寧安《ねいあん》市）です。田んぼの中での初めての長時間の戦闘でしたが、まったく腹が空かなかったのを覚えています。昼間に動くと危ないから、夜間行動をしていました。ソ連兵も鉄道などを監視しているんですよ。だから兵がいない隙を見て、線路を越すわけです。戦闘になれば銃撃を食らって谷底に逃げ、その途中で行方不明になる人もいました。

玉音放送は聴いていません。終戦を確信したのは、8月27日の夜です。ハルピン到着を前にして白系《はっけい》ロシア人街に食料調達に行ったところ、出くわした12歳くらいの女の子が小麦粉1袋を差し出して、「殺さないで」と言ってきました。「白系ロシア人」とは、亡命して国外に逃げていて、ソ連に追われる立場であった人たちです。その少女の怯える様子を見て、「守ってくれていた日本軍がいなくって、ソ連軍が好き放題やっているんだな」「日本は敗けたのかな」と察したのです。

行軍が始まったのは夏でしたが、夜は火を焚いて暖をとったりしました。9月の初めにはもう寒さが厳しくなってきましたね。相棒だった軍馬を殺して食べたときは、「愛馬進軍歌」を思い出して泣きましたね。「国を出てから幾月ぞ　共に死ぬ気でこの馬と　攻めて進んだ山や河　とった手綱に血が通う」ってね……。

軍服は火の粉で穴が開くし、通常3年は持つ馬の皮でできた編み上げの軍靴は1カ月半でボロボロになりました。

時々白旗を持った日本人が山の中を訪ねて、「もう戦争は終わったから降参したらどうですか?」と言ってくるんです。それを信じていいかわからないから、言うことを聞かなかったんですよ。でも、当初集合の命令が下った中国北部の牡《ぼ》丹江《たんこう》は日本からは遠いから、せめて朝鮮まで行けばなんとかなるんじゃないだろうかと、目的地を変えました。ところが時計も地図も方位磁石もないので、山の木の生える向きや、月や北斗七星の位置を見ながら進むしかない。

タニシやでんでん虫を食べて腹を満たしたり、山林を脱出したところにあったトウモロコシ畑で十数本ものトウモロコシを盗んで食べたり、朝鮮人からおむすびを作ってもらったり……なんとか食いつないでいました。中国の朝鮮族自治州にある和竜《わりゅう》市から、中国と朝鮮の国境地帯にある長白山《ちょうはくさん》（朝鮮では白頭山《ペクトサン》と呼ぶ）へ向かう道端に、100人ほどの日本兵の遺体が累々《るいるい》と転がっていたこともありました。私たちは散らばった食料をかき集め、その場をあとにしました。

86日間、山を越え、谷を越え、戦闘しながら700キロメートルくらい歩いたんです。

11月になると、400人いた部隊の人数は11人になってしまった。負傷している者もいましたし、そのころはもう朝鮮に入っていて、夜間隠れていられるような山がなくなっていたんですよ。ちょうど、満州に逃げる朝鮮人の一行がいたので聞いたら、「朝鮮の保安隊に行ったら、日本に帰る手続きを取ってもらえるはず」と言うので、2日の夜、持っていた拳銃や小銃を全部分解して、谷底に捨てました。そして消毒用に持っていた「チャンチュー」というどぶろく（にごり酒）をみんなで分けて飲んだんです。

そうして翌3日、朝鮮の保安隊を訪ねていったら、刑務所に入れられたんです。満州でもそうだったんですが、そのころ日本兵を捕まえると懸賞金《けんしょうきん》がもらえたんですね。そのぐらい日本兵の捕獲《ほかく》に躍起《やっき》になっていたんでしょう。それでソ連兵に引き渡された。刑務所では4畳半に11人全員詰められて、中には食器と便器が置いてある。そこで昼間は薪割りをしていました。

その後、朝鮮の興南《こうなん》という港にあった興南第5特別収容所に連れていかれました。そこには10カ月ほど収容されましたが、最初の8カ月使役がまったくなく、隣にあった日本窒素という会社が造った工場にセメントや石鹸を取りに行かされたぐらい。収容者は100人ほどで、私たち11人以外は、憲兵や警察官、裁判官、検事でした。基本的には、囲碁や将棋などをして、ゆったりとした収容所生活を送っていたのですが、一度だけ脱走を決意したことがあります。結局実行しませんでしたが、あのときもし逃げていたら生きて帰れなかったかもしれません。

1946年8月になって、ソ連軍に興南発の列車で連れていかれたのは、沿海州のセミョーノフカ（現・アルセーニエフ）の収容所でした。そこでは、炊事担当でした。ある日、警備兵がウラジオストクに4日間行くことになって、その間に飼っていた3匹の豚に餌をやれと言われていたんです。だけど、3日目に餌をやらないでいたら、警備兵が予定より1日早く帰ってきて、豚が大騒ぎしているのに気づいたんですね。それで炊事場まで飛んで来て、「おまえ、豚に餌をやらなかっただろ」と。それで「明日から山に伐採作業に行け」と命令されました。

伐採作業は、直径が1メートルくらいある大きな松の木を伐採して、用材にして出す作業です。直径50センチメートル、長さが4メートルの用材を1立米《りゅうべ》といって、1人3立米がノルマ。3人1組になって1日9立米のノルマでした。私は山の作業はしたことがないし、同じ組になった2人が、「ケガをするからやめておけ」と言って、代わりにやってくれました。それが1週間くらい続きましたね。

帰国のきっかけになったのは〝毒キノコ〟

1947年7月26日、宮崎出身の徳永という捕虜《ほりょ》仲間が、真っ白できれいなキノコを持ってきてくれたんですね。それを食べたら、発熱して下痢、しかも血便が出たんです。連れていかれた病院で診てもらったら、ソ連人の女医が「赤痢《せきり》だからすぐに入院しろ」と言うんです。それが8月末のことでした。

下痢は4日で止まったんですが、赤痢という感染力の高い病気だったからか、日本に帰すという話が出たんです。それで9月の初めに準備をしていたら、「都合によって延期になる」と言われました。

2度目の帰国命令が出たのは、10月7日。ウラジオストクの南東部ナホトカ港まで行って準備などして、15日にソ連を出ることになりました。

抑留中、週1回から1カ月に1回は取り調べがありました。それも夜中2時か3時、眠たい時間に呼びにくるんです。そして「隣の兵隊を調べてこい」と言われる。同僚のことを密告するってつらいですよ。作業よりつらかったです。なかなか本当のことは言えないけれど、ソ連兵は二言目には「ダモイ（帰す）」っていう話を持ちかけるんです。もうすぐ帰す、話せば帰す、ノルマを達成した者から帰すと言って希望を持たせる。だから直前まで「おいちょっと待て、やっぱり帰国は中止だ」と言われないか、心配でたまりませんでした。

それにソ連が発行していた、日本人捕虜向けの新聞「日本しんぶん」には「日本には食料もなければ、捕虜を運ぶ船もない」「捕虜の帰国を（連合国軍最高司令官）マッカーサーが援助をすることはない」などと、事実とは真逆のことばかり宣伝していたんです。

ワクワクしているものの、タラップを渡る足は震えました。無事に船に乗り込み、京都の舞鶴港に着いたのは18日の明け方でした。

舞鶴から上陸する帰還兵たち

それなのに船から下りたら、アメリカ兵が薬を噴射《ふんしゃ》して帰国者を消毒してくれるでしょう。驚きましたね。20日に救護所から出るときには、３００円もらったんです。散髪50円、タバコの人気銘柄《めいがら》だった「ピース」が20円、電報代が２カ所分で１２０円くらい。なんやかんやで、すぐにお金がなくなった。そうしたら京都や広島といった近くへ帰る連中が、残ったお金を全部くれて、それで22日に鹿児島に帰りました。

鹿児島まで、親やら妹やら10人くらい迎えに来てね。日本を離れてから7年も

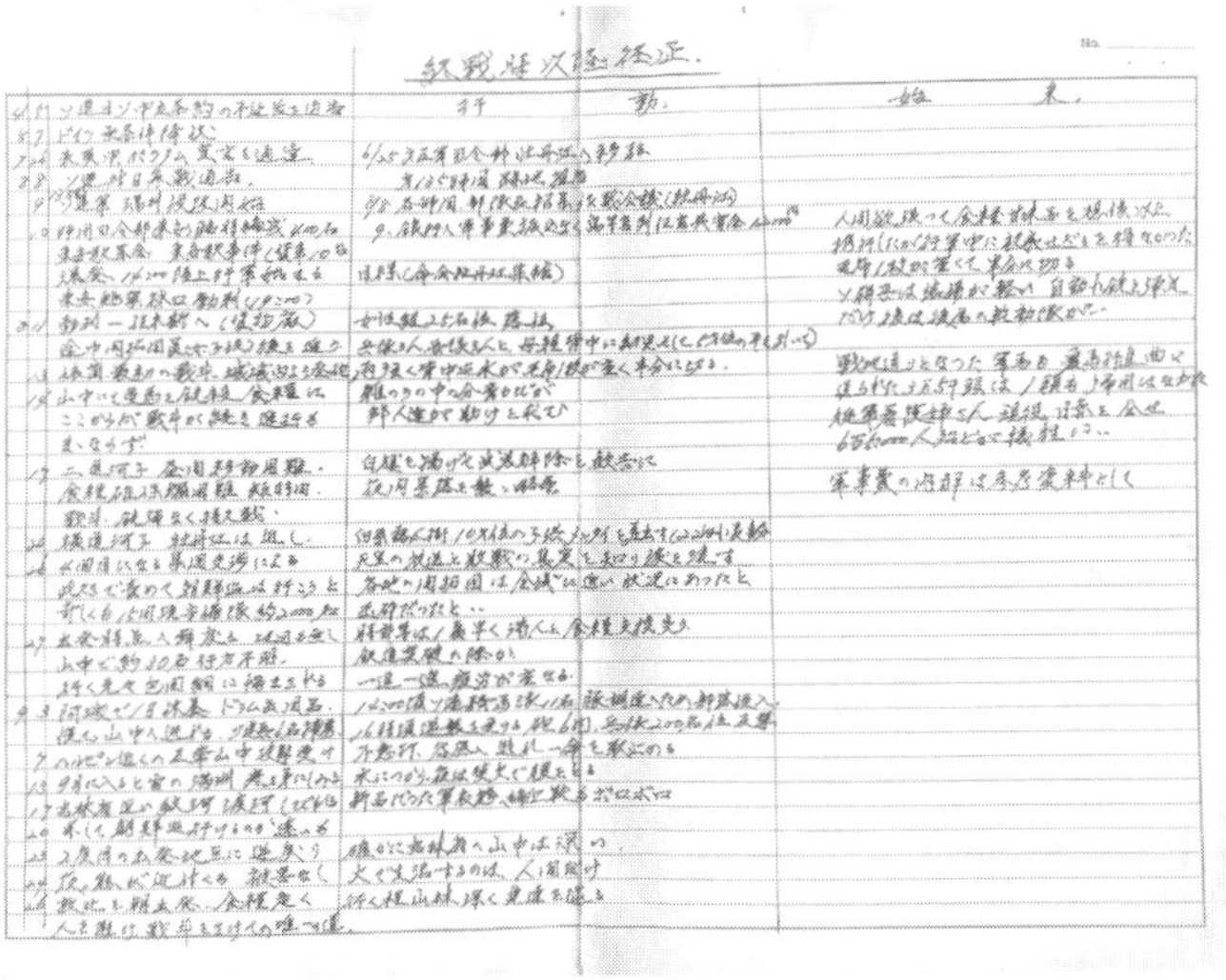

終戦後の経過を詳細に記録したメモ（田中さん提供）

経っているから、若い人は誰だかわからなかったです。「誰だ、ええと？」なんて言いながらね。そこで1泊して帰ったんです。

1943年9月2日に出した手紙を最後に、家族とは3年くらい音信不通でしたので、もう死んだだろうと思っていたらしいです。ところが1947年1月1日に、収容所で1人2枚ずつはがきをもらってね。届くだろうかと、半信半疑で、出してみたんです。それが天長節（昭和天皇誕生日）の4月29日に着いたらしい。空襲で家を焼かれて、母と姉と妹の3人は佐多岬の近くに住んでいたらしいんです。そこに手紙が来たから、「生きてる」と大騒ぎしたらしいですね。もう1通の葉書《はがき》は家内に送りました。帰国して半年後、1948年3月3日に結婚して、仲良く暮らしましたよ。

Writer's note

「世の中は、悪いことばかりも続かないし、いいことばかりも続かない」

シベリアに抑留《よくりゅう》されていた田中さん。帰国のきっかけが毒キノコというのが漫画のようです。抑留者を乗せた最後の船が日本に着いたのは、1958年。13年間も抑留されていた人がいました。田中さんは「人間は運不運が必ずある。キノコを食べなかったら、いつ帰れたかわからない」とおっしゃっています。

田中さんも取材中に使っていた「ノルマ」という言葉は、ロシア語のНорма《ノルマ》が語源だそうです。強制的に割り当てた、時間内に納めなければいけない仕事の量のことで、シベリアに抑留されていた方たちが持ち帰ったのですね。

そういえば、宇都宮《うつのみや》が餃子の町になったきっかけは、宇都宮に本拠地があった陸軍第14師団が満州に駐屯していたからとか。戦後、復員された方々が、満州で食べていた餃子を作って広めたそうです。調べてみると、こうしていろいろなところに戦争の記憶が文化として残っていますね。

田中さんは、当時のことをメモに記していました。それで細かい日にちまで覚えていらっしゃるんですね。「京都で黒人兵を見てびっくり」なんてことまで記されていました。

田中さんは満州時代の仲間ともやり取りをしているとのことで、みなさんお元気な方が多く、お話をうかがってびっくりしました。2019年の取材当時、2歳年上の奥様と一緒に生活されていました。奥様は郵便局で電話交換手をしていらしたとのこと。当時は郵便局で電報も郵便も電話も取り扱っていたそうです。それから、結婚式ではケーキではなくお餅をカットしたそうですよ。

7年もの年月離れていて、再会して結婚するなんて、本当にロマンチック。一方で田中さんのいとこは、帰ってきたら奥さんが再婚していたとか。運命は本当に紙一重《かみひとえ》です。

「世の中は、悪いことばかりも続かないし、いいことばかりも続かない」とおっしゃっていました。敗戦からの逃走、シベリア抑留と、想像を絶する体験をされた方の言葉には重みがあります。

COMMENTARY

取り残された人々

【Keyword】シベリア抑留

1945年8月9日に始まったソ連侵攻は、満州だけで軍民合わせて24万5000人の犠牲者を生み出しましたが、悲劇はそれだけでは終わりませんでした。ソ連軍の攻撃は終戦のあとも止まず、9月5日まで戦闘が続いたといわれます。

田中さんの話に登場するシベリア抑留とは、満州などで捕虜になった日本軍将兵などをソ連軍がシベリアに連行して、強制労働させたことを指します。ソ連のスターリン書記長は戦争で荒廃した国土を復興させるための労働力として、日本軍捕虜50万人を連行することをソ連軍に命じました。こうしてソ連に連行された日本人は57万5000人にものぼります。捕虜たちは70カ所を超えるラーゲリーと呼ばれる強制収容所に入れられ、マイナス40度にもなる極寒の中、わずかな黒パンとほとんど具が入ってないスープだけを与えられて、樹木の伐採や建築などの強制労働に従事しました。極度の栄養失調と寒さのため、配膳でのパンやスープの量のわずかな違いでけんかになったり、仲間が死ぬと衣服の奪い合いになったりしたそうです。また、ソ連が捕虜を共産主義に洗脳しようとしたため、共産主義者になった人とそれに反対する人の間で争いも起こりました。

混乱の最中にあった日本政府がシベリア抑留の事実を知ったのは、終戦から3カ月後のことです。1946年になってようやくアメリカを通じて引き揚げについてソ連と交渉できるようになりましたが、シベリアに抑留された人々の引き揚げが終わるのは、終戦から11年を経た1956年まで待たなければなりませんでした。しかし、それまでに5万8000人が望郷の思いを抱いたまま亡くなったのです。

シベリア抑留を描いた話題作『不毛地帯』（山崎豊子）

抑留中の悲惨な記憶は、山崎豊子氏の『不毛地帯』（新潮社、1978年）や胡桃沢耕史氏の『黒パン俘虜記』（文藝春秋、1986年）など多くの文学作品として読むことができます。また、引き揚げの玄関口となった「舞鶴引揚記念館」（京都府舞鶴市）に収められている1万6000点を超える資料の一部がユネスコ世界記憶遺産に登録され、当時の記憶を今に伝えています。

おわりに

「戦争を経験した人たちと経験していない私たちとでは、こんなにも感覚が違うのか」と驚いたこと。それがきっかけで始めた、戦争体験の取材でした。本の中に登場していただいた方以外にも、何人もの方からお話をうかがいました。そして、誰一人として同じ体験はしていないことに気づいたのです。教科書で読むのとは違う生き生きとしたお話には、当時を生きていた人たちのリアリティを感じます。取材を始めてから4年ほど経っていますが、その間に体調を崩される方がいたり、お亡くなりになった方がいたりと、刻々とタイムリミットが近づいていることを実感しました。おそらく、今が戦争のオーラル・ヒストリーを聞く最後のチャンスなのです。

お話を聞いているうちに、玉音放送の前と後で線が引かれたように別の時代になったわけではないことにも気づきました。私たちはつい、「玉音放送」を境目にして前後で環境が激変したような気になってしまいますが、体験した方の記憶や時間は地続きです。当然ですが「終戦」は流れの中の一部。そして、戦争体験も人それぞれなら、戦後の体験も人それぞれです。

また、取材を進める中で、「戦争体験」というと、より悲惨な体験を話さなければならないと思う方が多いことも気になりました。ある方のお母さまは広島市出身で、多くの人に〝原爆の〟体験を聞かれるそうです。最初は「疎開していたので体験していない」とお話ししていたそうですが、それを聞いてガッカリする人が多かったのでしょうか……次第に「火の粉を振り払って逃げた」と、冒険活劇風に話されるようになったそう。そうしたほうが聞き手が喜ぶのでしょう。少し切ないお話です。どんな人の人生も、つまらないなんてことはありません。この取材でも悲惨な戦争体験をしていない方もいましたが、どの方のお話もとても興味深くうかがいました。

この本は、必死に当時を生きた若者や子どもたちのお話です。その体験はさまざまでした。でも、誰もが必ず同じことをおっしゃるのです。「戦争は絶対に起こしちゃいけない」と。

社会が不安定になると、特に弱い人たちから人権が奪われていきます。引き揚げ時に若い女性が受けた屈辱的な体験は、聞くだけでも激しい怒りを感じます。私たちは、なんとしても安全で安心な世の中を維持しなければいけません。

原稿化するにあたり、事実確認できる部分は調べて必要箇所を修正しています。その上で、最終原稿をご本人に確認していただきましたが、どうしても75年以上前のお話であるため、記憶が定かではない部分もありました。

また、この本を執筆するにあたり、多方面にわたり調べ物をしました。

羊かんや少女歌劇団の興行を追って社史を読み、汽車の運行状況を追って鉄道会社に問い合わせをしました。日本やアメリカがどのような考え方で戦争をしていたかという違いも、勝敗を分ける大きな鍵だったでしょう。こうして調べてみると、第二次世界大戦の話から学べるのは「戦争の悲惨さ」だけではないことに気づきます。また現代まで続く戦争の軌跡があちこちにあることも改めて実感しました。

この本は、ライフワークにしようと原稿化するあてもなく取材を進めていました。それを知った佐伯香織さんが、千吉良美樹さんを紹介してくださいました。千吉良さんは制作に共感して編集を引き受けてくれ、「10代、20代の人たちが読む本にしたい」とアイデアをくださいました。表紙は若手イラストレーターのＲＥＤＦＩＳＨさんが、この本の主旨と私たちの思いを理解し、イラストを描いてくださいました。そして少しでも読者のみなさんが手に取りやすい本になるようにとデザインしてくださった中川理子さん、丁寧に校閲してくださったぴいたさん、解説を寄せてくださった日本国際情報学会の吉永憲史さんほか、この本に関わったすべての方に、感謝いたします。

いろんな方たちの温かい気持ちが詰まった本です。長く、多くの方に読んでいただけることを願っています。

もし今、とても辛い状況にある方がいたら、このメッセージを忘れないでください。

「いいことも、悪いことも長続きしない」
「どんなにつらいことがあっても、乗り越えたらきっと幸せが来る」

空襲を生き延びた方、壮絶な引き揚げ体験をされた方たちの言葉です。

2021年7月吉日　和久井香菜子

解説者より「おわりに」に寄せて

本書を読んだみなさんの感想は、いかがでしたでしょうか。大空を駆けた零戦の話をかっこいいと感じたり、特攻隊という非人道的な行いに憤ったり、意外にのどかな戦争の記憶に驚いたりと、さまざまな感情が交差したのだろうと想像します。おおかた、自分たちが生きている今とは時代が違うと考えながらも、少なからず共感するところがあったのではないでしょうか。

その背景には、自分がある集団の一員であるという「帰属意識」と、他者を自分と同類だと認める「同類意識」があります。そして、それら意識はおおむね国家や民族まで働くといわれます。ですから、みなさんが日本の栄華を誇らしく感じたり、日本人女性への暴行に怒りを覚えたりしても、それは自然な感情なのです。本書が古代ギリシャ時代の話であれば、みなさんが受けた感想はきっと違うものになっていたでしょう。

しかし、そのような感情を抱くのは日本人だけではありません。例えば、中国や朝鮮半島の人々が戦後70年以上経っても日本を批判しつづける理由は、私たちと同じように国への帰属意識と先祖への同類意識を持っているからなのです。外国に国を支配され、言葉や文化を奪われ、先祖が酷使されたという悔しい記憶は、そう簡単に消えるものではありません。帰属意識や同類意識という視点から日本と中国・朝鮮半島の歴史を眺めると、対立しているように見えていても、実は〝ナショナリズム〟という感情が過去から現在まで共通する軸として存在していることがわかります。ここではそれを「変わらないもの」と表現します。

反対に「変わるもの」もあります。少し身近な例で説明しましょう。1950年代からの高度経済成長期、みなさんの祖父母は安い材料を海外から仕入れて商品を大量に製造し、海外に輸出することで日本を経済大国にしました。そこには、一生懸命に仕事をして、豊富な商品があふれる社会を築くことが正しいという〝常識〟がありました。しかし、現在の常識から見れば、フェアトレード（公正な貿易）や持続可能な開発目標（SDGs）の観点から、当時の常識は非難されるでしょう。このように常識は時代によって変わっていくのです。

ここでは「変わらないもの」「変わるもの」の例としてナショナリズムと常識を挙げましたが、ほかに気づいたことはありましたか？　自分だけの視点ではなく、相手の視点や第三者の視点に立つことによって、「変わらないもの」「変わるもの」が明確になってくるでしょう。ここでもう一歩すすんで考えてもらいたいことは、両者に共通するのは、いずれも人間の意識のみに存在するということです。そうであれば、「変わらないもの」が「変わるもの」に変わっていくことは十分にありえます。みなさんの周りでそのような変化が起こっているのかどうか、探してみてください。

さて、著者の和久井さんは戦争体験を聞くたびに、それまでの常識を疑うようになったそうです。これはとても大切なことです。例えば、太平洋戦争について「日本が無謀な戦争を仕掛けた」という日本悪玉論が長く常識でした。しかし、戦争を複数の視点から眺めれば、戦争とは勝者と敗者を善悪で裁けるけるほど単純なものではないということがわかります。例えば、イギリスの植民地支配は良くて、日本のそれは悪い。あるいはアメリカの原爆投下は許されて、日本の蛮行は許されないというものではありません。どちらの行為にもそれに至る経緯や主張がある一方で、多くの人々が犠牲になったのです。それまでの常識を疑い、いくつかの視点から歴史を眺めてみると、歴史とはさまざまな表情を見せる立体的な出来事の連続であることに気づきます。

本書に登場する18人のお話から、誰も悪いことをしようと思って軍隊に入ったり、海外に行ったりしたのではないことがわかります。自分のキャリアを高めたい、より良い生活を送りたいと思って、当時の常識に寄り添って生きてきたのです。イギリスを代表する歴史家のE・H・カーは「歴史は現在と過去との対話である」であると述べています。現在と過去との対話とはとても奥深い表現ですが、私なりの解釈は、歴史の経験から「変わるもの」と「変わらないもの」があることを知ることで、今を立体的に捉える目を養うことにあると考えています。また、本書の意義もそこにあるのではないかと思います。本書を読みえ終えて、こんな考え方もあるのかと少しでも思っていただければ、解説者として何よりの喜びです。

解説　吉永憲史

参考文献

著者　和久井香菜子

【書籍】

●玄武岩・パイチャゼ・スヴェトラナ、後藤悠樹写真『サハリン残留』高文研、2016

●前坂俊之『太平洋戦争と新聞』講談社、2007

●辰巳出版株式会社『日米の教科書 当時の新聞でくらべる太平洋戦争』辰巳出版、2015

●工藤雪枝『特攻へのレクイエム』中央公論新社、2001

●サイモン・シン著・青木薫訳『暗号解読 上・下』新潮社、2007

●櫻井誠子『「風船爆弾」秘話』光人社、2007

●松竹歌劇団『松竹歌劇団50年のあゆみ　レビューと共に半世紀』国書刊行会、1978

●中川右介『松竹と東宝　興行をビジネスにした男たち』光文社、2018

●半藤一利『あの戦争と日本人』文藝春秋、2013

●半藤一利『昭和史　1926-1945』平凡社、2009

●半藤一利『昭和史　戦後編』平凡社、2009

●比留間榮子『時間はくすり』サンマーク出版、2020

●藤原てい『新版　流れる星は生きている』偕成社、2015

●毎日新聞社編『別冊1億人の昭和史 特別攻撃隊』毎日新聞社、1979

●毎日新聞社編『別冊1億人の昭和史 日本植民地2　満州　日露戦争から建国・滅亡まで』毎日新聞社、1978

●毎日新聞社編『別冊1億人の昭和史 予科練』毎日新聞社、1981

●NHKスペシャル取材班『本土空襲　全記録　NHKスペシャル戦争の真実シリーズ1』KADOKAWA、2018

【映像】

●Netflix「WW2　最前線　カラーで見る第二次世界大戦　4.ミッドウェー海戦」2019

●NHKスペシャル「本土空襲　全記録」2017

【WEBページ】

●海上自衛隊鹿屋航空基地史料館
https://www.mod.go.jp/msdf/kanoyatoukatu/HPzairyou/1-8siryoukann/18siryoukann.html

●海上自衛隊第1術科学校
https://www.mod.go.jp/msdf/onemss/kengaku/

●呉市海事歴史科学館　大和ミュージアム
https://yamato-museum.com/

●埼玉県桶川市　桶川飛行学校平和祈念館
https://www.city.okegawa.lg.jp/soshiki/shiminseikatsu/jichibunka/shisetsu_ichiran/shogai_bunka/otherfacilities/1937.html

●佐世保市役所　浦頭引揚記念資料館
https://www.city.sasebo.lg.jp/siminseikatu/simian/uragashira.html

●知覧特攻平和会館
https://www.chiran-tokkou.jp/

●ながさき旅ネット　無窮洞
https://www.nagasaki-tabinet.com/guide/61274

●平和記念展示資料館（総務省委託）
https://www.heiwakinen.go.jp/

●舞鶴引揚記念館
https://m-hikiage-museum.jp/

●陸上自衛隊衛生学校　彰古館
https://www.mod.go.jp/gsdf/mss/sp/museum.html

●靖国神社遊就館
https://www.yasukuni.or.jp/yusyukan/

●予科練平和記念館
https://www.yokaren-heiwa.jp/

解説　吉永憲史

〈本書全般〉

●講談社編『学習まんが　日本の歴史　全20巻』講談社、2020

●太平洋戦争研究会著・平塚柾緒編『太平洋戦争大全［海空戦編］』ビジネス社、2018

●太平洋戦争研究会著・平塚柾緒編『太平洋戦争大全［陸上戦編］』ビジネス社、2018

●日本国際政治学会太平洋戦争原因研究部編著『太平洋戦争への道　全8巻』朝日新聞社、1988

●朝日新聞社，VOYAGE GROUP「コトバンク」
https://kotobank.jp/

●学研プラス「Gakken キッズネット」
https://kids.gakken.co.jp/

●国立公文書館アジア歴史資料センター「アジ歴グロッサリー」
https://www.jacar.go.jp/glossary/

●国会図書館「レファレンス協同データベース」
https://crd.ndl.go.jp/reference/

●時事通信社「終戦特集～太平洋戦の歴史～」
https://www.jiji.com/jc/v2?id=20110803end_of_pacifi_war

●NHK「戦争証言アーカイブス」
https: //www.nhk.or.jp/archivesshogenarchives/

〈はじめに〉

●岡正雄『海軍予科練よもやま物語』光人社、1984

●坂井三郎『大空のサムライ　かえらざる零戦隊』潮書房光人新社、2003

●白岩信也「〈研究論文〉予科練をめぐる集合的記憶の形成過程：第二次世界大戦後における茨城県稲敷郡阿見町の地域変容に着目して」『筑波大学教育学系論集』40巻1号、筑波大学、2015

●福田和也『ああ〝予科練〟　甲種飛行予科練習生の記録』講談社、1967

●矢部昭郎『花の予科練物語　海軍少年飛行兵「桜と錨」青春記』光人社、2009

●横山正男『あこがれの予科練』旺史社、2002

●予科練平和記念館「『予科練』とは」
https://www.yokaren-heiwa.jp/02yokarentoha/index.html
（最終閲覧日：2021年6月2日）

〈「玉音放送」とは？〉

●半藤一利『日本のいちばん長い夏』文藝春秋、2007

●半藤一利『日本のいちばん長い日　決定版』文藝春秋、2006

●宮内庁「終戦の玉音放送」
https://www.kunaicho.go.jp/kunaicho/koho/taisenkankei/syusen/syusen.html
（最終閲覧日：2021年5月15日）

●国会図書館「憲法条文・重要文書　ポツダム宣言」
https://www.ndl.go.jp/constitution/etc/j06.html
（最終閲覧日：2021年5月15日）

●NHK「宮内庁版『玉音放送』とこれまでの『玉音放送』」
https://www.nhk.or.jp/archives/shogenarchives/gyokuon/
（最終閲覧日：2021年5月15日）

〈本書の使い方と構成〉

●大門正克『語る歴史、聞く歴史　オーラル・ヒストリーの現場から』岩波書店、2017

●御厨貴『オーラル・ヒストリー　現代史のための口述記録』中央公論新社、2002

●E・H・カー『歴史とは何か』岩波書店、1962

〈Episode 01〉

●豊田穣『マレー沖海戦』集英社、1988

●「丸」編集部編『英国東洋艦隊を撃滅せよ　海軍中攻隊空戦記』光人社、2011

●産経新聞「マレー沖海戦（上）英「プリンス・オブ・ウェールズ」が出撃　迎え撃つ日本軍は偵察誤認の失態」、2015
https://www.sankei.com/article/20150515-KXIUJ22R4VNILD3DSSIGX5BANU/2/
（最終閲覧日：2021年5月4日）

●産経新聞「マレー沖海戦（下）チャーチル絶句させた英不沈艦撃沈…「大艦巨砲」から「航空主兵」へ、先鞭つけたのは皮肉にも日本だった」、2015
https://www.sankei.com/article/20150522-BHLHRSOKWBJXHGBFV2RDR62RMI/4/
（最終閲覧日：2021年5月4日）

〈Episode 02〉

●河西晃祐『大東亜共栄圏　帝国日本の南方体験』講談社、2016

●広中一成『後期日中戦争　太平洋戦争下の中国戦線』KADOKAWA、2021

●野村佳正『「大東亜共栄圏」の形成過程とその構造　陸軍の占領地軍政と軍事作戦の葛藤』錦正社、2016

●一般社団法人全国樺太連盟「樺太略史」
http://kabaren.org/karafutoryakushi/
（最終閲覧日：2021年5月6日）

●外務省「北方領土問題の経緯（領土問題の発生まで）」
https://www.mofa.go.jp/mofaj/area/hoppo/hoppo_keii.html
（最終閲覧日：2021年5月6日）

〈Episode 03〉

●荒川章二・河西英通・坂根嘉弘・坂本悠一・原田敬一編『地域の中の軍隊8　日本の軍隊を知る　基礎知識編』吉川弘文館、2015

●林博史・原田敬一・山本和重編『地域の中の軍隊9　軍隊と地域社会を問う　地域社会編』吉川弘文館、2015

●古屋哲夫「近代日本における徴兵制度の形成過程」『人文學報』66巻，京都大学，1990

●三上真理子「近代日本における徴兵拒否・兵役忌避・徴兵逃れ祈願」慶應技術大学大学院社会学研究科，2004

〈Episode 04〉
●荒川章二・河西英通・坂根嘉弘・坂本悠一・原田敬一編『地域の中の軍隊8 日本の軍隊を知る 基礎知識編』吉川弘文館、2015
●徳川宗英『江田島海軍兵学校 世界最高の教育機関』KADOKAWA、2015
●花井文一『実録 海軍志願兵の大東亜戦争』元就出版社、2011
●箕輪香村編「海軍軍人独学受験志願入学立身法」文憲堂書店、1930
●神立尚紀「90年前の受験事情 超難関だった旧海軍志願兵・諸学校の入試問題」現代ビジネス、2021
https://gendai.ismedia.jp/articles/-/80616
(最終閲覧日：2021年5月21日)
●奈良県立図書館「就職先としての軍隊～海軍志願兵」
https://www.library.pref.nara.jp/event/booklist/W_2010_01/index.html
(最終閲覧日：2021年5月22日)
〈Episode 05〉
●文部省『学制百年史』帝国地方行政学会、1981
●国立教育政策研究所「我が国の学校教育の歴史について」2021
https://www.nier.go.jp/04_kenkyu_annai/pdf/kenkyu_01.pdf
(最終閲覧日：2021年6月13日)
●内閣府男女共同参画局「コラム3 高等女学校における良妻賢母教育」『男女協同参画白書令和元年度版』2020
https://www.gender.go.jp/about_danjo/whitepaper/r01/zentai/html/column/clm_03.html
(最終閲覧日：2021年6月11日)
〈Episode 06〉
●松竹歌劇団『松竹歌劇団50年のあゆみ レビューと共に半世紀』国書刊行会、1978
●中川右介『松竹と東宝 興行をビジネスにした男たち』光文社、2018
●ハリデー・ピエル、ピーター・ケイブ「1925年～1945年日本における子どもの遊び」近代日本における子どもおよび青年の生活と教育
http://www.japanese-childhood.manchester.ac.uk/ja/topics-1-jp/childrens-play-jp/
(最終閲覧日：2021年6月2日)
〈Episode 07〉
●櫻井誠子『「風船爆弾」秘話』光人社、2007
●東京都歴史教育者協議会編『東京の戦争と平和を歩く 新版』平和文化、2008
●松井かおる「風船爆弾製造と学徒勤労動員 風船爆弾関係文書を中心に」『研究報告』16号、東京都江戸東京博文館、2010
●吉野興一『風船爆弾 純国産兵器「ふ号」の記録』朝日新聞社、2000
〈Episode 08〉
●小山仁示『米軍資料 日本空襲の全容 マリアナ基地B29部隊』東方出版、2018
●柴田武彦・原勝洋『ドーリットル空襲秘話 日米全調査』アリアドネ企画、2003
●平塚柾緒「新装版 米軍が記録した日本空襲」草思社、2020
●NHKスペシャル取材班『本土空襲全記録 NHKスペシャル戦争の真実シリーズ KADOKAWA、2018
●総務省「国内各都市の戦災の状況」
https://www.soumu.go.jp/main_sosiki/daijinkanbou/sensai/situation/state/
(最終閲覧日：2021年9月23日)
●Yahoo!ジャパン「未来に残す戦争の記録」
https://wararchive.yahoo.co.jp/
(最終閲覧日：2021年6月10日)
〈Episode 09〉
●猪口力平・中島正『神風特別攻撃隊』日本出版協同、1951
●特攻隊戦没者慰霊平和記念協会編『特別攻撃隊全史』特攻隊戦没者慰霊平和記念協会、2008
●広田純「太平洋戦争におけるわが国の戦争被害 戦争被害調査の戦後史」『立教經濟學研究』45巻4号、立教大学1992
●防衛庁防衛研修所戦史室編『沖縄・台湾・硫黄島方面陸軍航空作戦 戦史叢書第036巻』朝雲新聞社、1970
●防衛庁防衛研修所戦史室編『沖縄方面海軍作戦 戦史叢書第017巻』朝雲新聞社、1968
●「丸」編集部編『写真太平洋戦争決定版5 神風特別攻撃隊 本土防空作戦 潜水艦作戦 終戦時の帝国艦艇』潮書房光人社、2015.
●零戦搭乗員会『日本海軍神風特別攻撃隊隊員の記録』零戦搭乗員会、1993
〈Episode10〉
●小此木政夫『朝鮮分断の起源 独立と統一の相克』慶應義塾大学法学研究会、2018
●韓国史事典編纂会・金容権『第4版 朝鮮韓国近現代史事典 1860-2014』日本評論社、2015
●在日韓人歴史資料館編著『写真で見る在日コリアンの100年 在日韓人歴史資料館図録』明石書店、2008
●水野直樹・文京洙『在日朝鮮人 歴史と現在』岩波書店、2015
●森田芳夫『数字が語る在日韓国・朝鮮人の歴史』明石書店、1996
●山根明『男 山根「無冠の帝王」半世紀』双葉社、2019
●在日韓人歴史資料館
http://www.j-koreans.org/index.html
(最終閲覧日：2021年6月11日)
〈Episode 11〉
●安冨歩『満州暴走 隠された構造 大豆・満鉄・総力戦』KADOKAWA、2015
●坂本悠一編『地域の中の軍隊7 帝国支配の最前線 植民地』吉川弘文館、2015
●塚瀬進『満州国 「民族協和」の実像』吉川弘文館、1998
●ハインリッヒ・シュネー著・金森誠也訳『「満州国」見聞記 リットン調査団同行記』講談社、2002
●山本有造『「満州国」の研究 新装版』緑蔭書房、2014
●朝日新聞「歴史は 生きている絵空事に終わった五族の共生」
https://www.asahi.com/international/history/chapter05/02.html
(最終閲覧日：2021年6月18日)
〈Episode 12〉
●井上卓弥『満州難民 北朝鮮・三八度線に阻まれた命』幻冬舎、2020
●島田俊彦『関東軍 在満陸軍の独走』講談社、2005
●中山隆志『関東軍』講談社、2003
●半藤一利『ソ連が満州に侵攻した夏』文藝春秋、2002
●防衛庁防衛研修所戦史室編『関東軍〈2〉関特演・終戦時の対ソ戦 戦史叢書第073巻』朝雲新聞社、1974
●読売新聞大阪社会部編『満蒙開拓団 新聞記者が語り継ぐ戦争 7』角川書店、1987
●産経新聞「戦後70年 昭和20年夏(4) ソ連軍157万人が満州侵攻 戦車に潰された王道楽土の夢」2015
https://www.sankei.com/article/20150808-EXDDWOGLXJMNVJIL5QWHORACQY/
(最終閲覧日：2021年6月17日)
●満蒙開拓平和記念館
https://www.manmoukinenkan.com/
(最終閲覧日：2021年6月20日)
〈Episode 13〉
●北村洋『敗戦とハリウッド 占領下日本の文化再建』名古屋大学出版会、2014
●竹前英治訳・今泉真里訳『GHQ占領史1 GHQ日本占領史序説』日本図書センター、1996
●平塚柾緒『写真でわかる事典 日本占領史 1945年8月-1952年5月』PHPエディターズ・グループ、2019
●山本武利『占領期雑誌資料大系 文化編〈5〉占領から戦後へ』岩波書店、2009
●C.A.ウィロビー著、延禎監修、平塚柾緒『GHQ知られざる諜報戦 新版・ウィロビー回顧録』山川出版社、2010
〈Episode 14〉
●石橋督和『戦後東京と闇市 新宿・池袋・渋谷の形成過程と都市組織』鹿島出版会、2016
●猪野健治『東京闇市興亡史』双葉社、1999
●鴨下信一『誰も「戦後」を覚えていない』文藝春秋、2005
●高祐二『在日コリアンの戦後史 神戸の闇市を駆け抜けた文東建の見果てぬ夢』明石書店、2014
●松平誠『東京のヤミ市』講談社、2019
〈Episode 14〉
●ヴィクトル・カルポフ著、長勢了治訳『スターリンの捕虜たち シベリア抑留 ソ連機密資料が語る全容』北海道新聞社、2019
●富田武『シベリア抑留 スターリン独裁下、「収容所群島」の実像』中央公論新社、2016
●長勢了治『シベリア抑留全史』原書房、2013
●横手慎二「「シベリア抑留」の起源」『法学研究』83巻12号、慶應義塾大学法学研究会、2010
●舞鶴引揚記念館
https://m-hikiage-museum.jp/
(最終閲覧日：2021年5月20日)

わたしたちも
みんな子どもだった
～戦争が日常だった私たちの体験記～

2021年7月21日　第1刷発行

著　　者　和久井香菜子
解　　説　吉永憲史
デザイン　中川理子
装 丁 画　REDFISH
校　　閲　ぴいた
協　　力　佐伯香織
発 行 者　千吉良美樹
発 行 所　ハガツサブックス
〒158-0094
東京都世田谷区玉川2-21-1-8F CATALYST BA
電話 03-6313-7795
印刷・製本　モリモト印刷

落丁、乱丁の場合は、送料ハガツサブックス負担でお取替えいたします。
ただし、古書店で購入したものについてはお取り替えできません。

ISBN978-4-910034-07-2 C0021